Os Seis Arquétipos do Amor

Allan G. Hunter

Os Seis Arquétipos do Amor

Usando os Símbolos do Tarô e dos Contos de Fadas nos Relacionamentos Amorosos

Tradução
MÁRCIA EPSTEIN FIKER

Editora
Pensamento
SÃO PAULO

Título original: *The Six Archetypes of Love.*

Copyright © 2008 Allan G. Hunter, 2008.

Publicado originalmente por Findhorn Press, Escócia.

Todos os direitos reservados. Nenhuma parte deste livro pode ser reproduzida ou usada de qualquer forma ou por qualquer meio, eletrônico ou mecânico, inclusive fotocópias, gravações ou sistema de armazenamento em banco de dados, sem permissão por escrito, exceto nos casos de trechos curtos citados em resenhas críticas ou artigos de revistas.

A Editora Pensamento-Cultrix Ltda. não se responsabiliza por eventuais mudanças ocorridas nos endereços convencionais ou eletrônicos citados neste livro.

Ilustrações do Baralho de Tarô Waite, reproduzidas com a permissão de U. S. Games Systems, Inc., Stamford, CT 06902 USA. Copyright © 1971 por U. S. Games Systems, Inc.

Coordenação Editorial: Denise de C. Rocha Delela e Roseli de S. Ferraz
Preparação de originais: Maria Sylvia Correa
Revisão: Iraci Miyuki Kishi
Diagramação: Join Bureau

Dados Internacionais de Catalogação na Publicação (CIP)
(Câmara Brasileira do Livro, SP, Brasil)

Hunter, Allan G.
  Os seis arquétipos do amor : usando os símbolos do tarô e dos contos de fadas nos relacionamentos amorosos / Allan G. Hunter ; tradução Márcia Epstein Fiker. – São Paulo: Pensamento, 2011.

  Título original: The six archetypes of love
  Bibliografia
  ISBN 978-85-315-1740-2

  1. Amor 2. Arquétipo (Psicologia) I. Título.

11-05055   CDD-152.41

Índices para catálogo sistemático:

1. Amor : Arquétipo : Psicologia   152.41

O primeiro número à esquerda indica a edição, ou reedição, desta obra. A primeira dezena à direita indica o ano em que esta edição, ou reedição, foi publicada.

Edição   Ano
1-2-3-4-5-6-7-8-9-10-11   11-12-13-14-15-16-17-18-19

Direitos de tradução para o Brasil
adquiridos com exclusividade pela
EDITORA PENSAMENTO-CULTRIX LTDA.
Rua Dr. Mário Vicente, 368 — 04270-000 — São Paulo, SP
Fone: 2066-9000 — Fax: 2066-9008
E-mail: pensamento@cultrix.com.br
http://www.pensamento-cultrix.com.br
que se reserva a propriedade literária desta tradução.
Foi feito o depósito legal.

Agradecimentos

Minha gratidão é profunda e de amplo alcance, portanto tentarei listar todas as pessoas, inclusive aquelas que talvez nem saibam quanto me ajudaram.

Tive a sorte de receber uma licença sabática do Curry College para o término deste livro. A minha gratidão ao presidente, Ken Quigley, e aos membros do Conselho é imensa. Também sou muito grato a Dean Sue Pennini, que me apoiou neste empenho e que concordou em liberar dinheiro do Dean's Fund para as ilustrações deste livro.

A ajuda material para a pesquisa veio do The Seth Sprague Educational and Charitable Foundation, e sou, como sempre, muito grato à sra. Arline Greenleaf e à sra. Rebecca Greenleaf-Clapp, por acreditarem em meu trabalho e no trabalho do Honors Program no Curry College. Sem o seu apoio é muito improvável que alguma coisa pudesse ser escrita. A minha pesquisa recebeu uma ajuda essencial da equipe da biblioteca do Curry College e, especialmente, do dr. Hedi Ben Aicha, que se mostrou sempre pronto e entusiasmado com a exploração de áreas recônditas de conhecimento.

Meus patrocinadores e torcida foram conduzidos pelo dr. Ronald Warners, cujas discussões e comentários foram inestimáveis; foi ele quem me encorajou a aprimorar as ideias em reuniões de BACAPT. Sem a sua contribuição, este livro não teria sido possível. O professor universitário Tom Shippey também me emprestou mais forças do que talvez imagine.

Robert Atwan e Suzanne Strempek Shea foram consultores perfeitos e cheios de tato, em tantos tópicos, durante o processo da escrita, que sou eternamente grato a eles; sou muito agradecido ao conhecimento apurado do drama grego, especialmente de *Antígona,* revelado por Greg Atwan. Contribuíram também, com seu saber, Linda Blackbourn, Vivian Brock, Jeffrey Di Iuglio, dra. Martha Grace Duncan, Marlena Erdos, Kelly Ferry, Dorothy Fleming, Joan Elizabeth Goodman e Keith

Goldsmith, Jeanette de Jong, Rea Killeen, Rick Klaich, Nora Klaver, dr. Bessel van der Kolk, Douglas Kornfeld e Susan Lax, Sensei Koei Kuahara, Rebecca McClanahan, Jean Mudge, Jane Deering O'Connor, Iris Simmons MBE, Suzette Martinez Standring, Julie Stiles, Cheryl Suchors e Dennis Watlington. Para David Whitley e para Andrew Peerless, que me apoiaram todos esses anos, como bons amigos e colegas, apesar do oceano Atlântico entre nós, meu mais sincero agradecimento.

Mary Lou Shields merece uma menção especial por ter me dado os cutucões periódicos que fizeram toda a diferença e me mantiveram alerta.

Thierry Bogliolo merece um agradecimento especial por sua contínua fé neste projeto e por conseguir que eu tivesse o melhor agente de publicidade do mundo, Gail Torr. Muitos agradecimentos também a minha editora, Jane Engel, por sua paciência e acuidade.

Outras pessoas que contribuíram mais do que imaginam são Monique e Martin Lowe, dra. Susan Peterson, Nick Portnoy, Anna Portnoy (que realizou um trabalho eminente traduzindo a minha caligrafia em texto digitado), Bev Snow e a boa gente de Watertown Center for the Arts, Paula Ogier e a equipe do Cambridge Center for Adult Education, Talbot Lovering e Tina Forbes, e Sally Young.

Dedico minha gratidão e agradecimentos também a minha mãe, Elsa Hunter, que me ensinou as lições mais importantes da vida, e a meu irmão Donald, cuja sabedoria prática e bom humor infalível são sempre muito animadores.

A dívida maior vai para Cathy Bennett, que foi a mais refinada crítica, consultora, fonte de apoio e inspiração que eu poderia ter desejado. Gratidão é uma palavra pequena demais nesse caso.

Mais uma vez, minha maior dívida é com todos os meus alunos, que são e sempre foram, meus maiores professores.

Sumário

Capítulo 1	A Grande Tela de Gauguin	9
Capítulo 2	A Jornada para o Amor	12
Capítulo 3	Como Funcionam os Seis Arquétipos	28
Capítulo 4	O Inocente	33
Capítulo 5	Amor Órfão	49
Capítulo 6	Amor Peregrino	72
Capítulo 7	O Guerreiro-Amante	90
Capítulo 8	O Par de Monarcas	124
Capítulo 9	O Mago	137
Capítulo 10	Coragem e Amor	155
Capítulo 11	Os Seis Estágios do Amor nos Contos de Fadas, no Folclore e nos Tempos Modernos...............................	170
Bibliografia	....	183

Capítulo 1
A grande tela de Gauguin

Nós estamos aqui para conseguir coisas?
Ou estamos aqui para aprender?

Uma das composições artísticas mais comoventes que eu já vi é a enorme tela de três partes pintada por Gauguin, no Taiti, sobre a qual ele escreveu as palavras: "De onde viemos? O que somos nós? Para onde vamos?". Essas perguntas se tornaram o título oficial da pintura. As figuras na tela não parecem especialmente interessadas em contemplar essas perguntas enquanto lidam com suas diversas tarefas. Talvez seja essa a questão. Nós vivemos, trabalhamos, rezamos (ou não rezamos), meditamos, sonhamos, exatamente como fazem as figuras na tela, e essas perguntas fazem parte de quem somos. Elas não se encontram ali para nos deixar em pânico e nos fazer brigar por respostas. Nenhuma das figuras que Gauguin pintou parece desesperada.

No entanto, vale a pena fazer essas perguntas. É claro que questões como essas talvez sejam apenas construtos que nós, seres humanos, fazemos para nós mesmos. Talvez não existam questões importantes para se fazer, muito menos para se responder. Não temos nenhuma prova concreta que indique a importância de considerarmos essas ideias. Contudo, de algum modo, *sentimos* que isso é importante, mesmo num paraíso como o Taiti. Parece que a questão de que nós temos de fato um propósito e um objetivo sempre volta. Se isso for verdade, então devemos tentar pensar sobre a vida nesses termos e encontrar uma resposta que seja eficaz. Parece que precisamos dar um sentido à vida. Isso pode soar como um passatempo fútil; portanto, eu apenas chamo atenção para o fato de que as pessoas que não conseguem encontrar um significado são as que se encontram representadas, de modo mais expressivo, entre os depressivos crônicos, os usuários de drogas, os presidiários e os suicidas.

Gauguin sentia essas questões de maneira intensa e sabia que havia criado algo incomum nessa extraordinária pintura de três partes, três metros e meio de largura, que ele considerou como o seu "sonho".[1] Sentia que a tela era a maior coisa que havia feito, "um trabalho filosófico... comparável aos Evangelhos",[2] conforme escreveu. Posteriormente, no mesmo ano, ele tentou se matar, não por desespero, mas porque estava convencido de que havia completado a obra de sua vida.

Podemos estar aqui na Terra por muitas razões: para ter sucesso; para ser feliz; para ser bom ou virtuoso; para criar uma linda pintura. A lista pode ser interminável. Algumas respostas podem parecer mais dignas que outras. Quanto a mim, acho difícil crer que as pessoas estejam vivas simplesmente para juntar dinheiro para o seu próprio prazer, por exemplo, ou ficar sob o controle de governos cruéis e repressivos, ou para usar a mídia para manipular populações confiantes, induzindo-as a um estado miserável. A maior parte das pessoas concordaria que esses objetivos não parecem ser dignos de uma carreira, e muito menos de uma vida inteira; não obstante, continuam muito populares.

Se estivermos na Terra para fazer perguntas, se estivermos aqui para aprender com a experiência de sermos humanos, então devemos perguntar o que, supostamente, teríamos de estar aprendendo.

Uma resposta possível reside no que podemos perceber sempre que vemos um recém-nascido e sua mãe. Porque em sua presença, seja num hospital com escassos recursos em Mumbai, ou numa pintura como a *Madona e a Criança*, no Vaticano, nós nos damos conta de uma coisa apenas: a força enorme e incompreensível do amor humano. A mãe não vê apenas as provações no futuro de seu filho, ou dela mesma, embora possa ter consciência de que o mundo é cruel. Por mais que seja difícil a situação da mãe, ela amará o filho, mesmo que seja forçada a desistir dele para que seja adotado, num momento posterior. Essa ligação amorosa primitiva é observável em toda parte. A criança anseia por amor, nem que seja somente para sobreviver. Contudo, o desejo de ter uma ligação amorosa com outras pessoas é muito forte durante a nossa vida. Será que as primeiras lições que aprendemos quando bebês, as lições da afeição, aceitação e amor, são na verdade aquelas que mais precisamos explorar vida afora?

Assim, qual é a importância desse amor inicial? A psicologia e a ciência médica nos mostraram que as crianças que não se sentem amadas não se desenvolvem. Elas tendem a ter um peso inferior ao normal, são menos confiantes e menos ajustadas em termos sociais. Os seus níveis de inteligência também podem ser afetados. Isso tudo é mensurável em termos estatísticos. Existem, porém, outras coisas para se levar em consideração. Se recebermos uma base firme de amor e de cuidados quando crianças, desenvolveremos a confiança para explorar o nosso mundo. De fato, o amor tende a nos fazer crescer em coragem; assim, olhamos em volta e aprendemos como as coisas são, primeiro dentro da segurança da família; a seguir, no contexto mais amplo da comunidade e, finalmente, nas confusões aparentemente intermináveis do mundo. Uma série cada vez maior de possibilidades nos aguarda à medida que crescemos.

Aprendemos na família a amar aqueles que podem ser muito diferentes de nós, tanto quanto aqueles que são exatamente como nós. Na escola aprendemos que devemos respeitar todas as pessoas, o que é outra forma de amor, mesmo que sejam nossos rivais ou inimigos. E esses desafios não terminam na sala de aula. Quando saímos da escola, encontramos um mundo desconcertante, no qual todas as pessoas precisam, ao menos, tentar se dar bem, e onde buscamos um parceiro amoroso com o qual construir a vida. Iremos procurar amigos e amantes, com plena consciência de que algumas pessoas no mundo querem nos magoar. Podemos também nos envolver com a busca pela iluminação espiritual, ou uma comunhão mais próxima com Deus. Algumas versões de Deus parecem levar à destruição e ao ódio. Outras são claramente mais amorosas. Como iremos escolher? Como iremos lidar com as pessoas cujos sistemas de crença são repugnantes para nós?

É como se esse maravilhoso mundo nosso pudesse ser uma enorme oportunidade, sempre em desenvolvimento, de descobrir como amar uns aos outros, mesmo sob as circunstâncias mais árduas. Se não conseguirmos amar uns aos outros, aceitar uns aos outros e respeitar as diferenças, podemos ter certeza de que a paz nunca ocorrerá, e no âmago disso está a necessidade de aceitar a nós mesmos.

Se assim for, então estamos todos convidados, quer gostemos ou não, a essa jornada de exploração para descobrir o amor.

No percurso vamos descobrir algumas coisas interessantes. Veremos que existem seis níveis diferentes de amor (são os seis arquétipos do título) e veremos que estes existem em nossa literatura, nossa arte, nosso folclore e até mesmo em lugares como o baralho do Tarô. Veremos que, quando mudamos de estágio, retemos as lições e descobertas do arquétipo anterior e aprenderemos técnicas, de modo que será possível ativar essa energia sempre que precisarmos acessar os seus benefícios.

Notas

1. A pintura de Gauguin está em exposição no Museum of Fine Arts, Boston. A sua referência ao "meu sonho" é de sua carta de março de 1899 a Andre Fontainas, citado por Robert Goldwater em *Gauguin* (Nova York: Abrams, 1983), p. 114.
2. Gauguin refere-se à pintura como sendo "comparável aos Evangelhos" em uma carta a Daniel de Monfreid, de fevereiro de 1898, citada em Goldwater, *op.cit.*, p. 110.

Capítulo 2

A jornada para o amor

Por que tantos de nós o compreendem mal?
Antecedentes históricos

O amor é um dos conceitos mais mal compreendidos de nossa cultura – em qualquer cultura. Ao ligar o rádio ouviremos canções de amor. Mesmo que Sting cante o Amor Sagrado[1] e Steve Winwood[2] possa nos saudar com seu apelo "Traga-me um amor maior", será que temos alguma ideia do que esses conceitos realmente significam? Para quem assiste TV, o mais provável é que acompanhe os últimos seriados, que quase sempre tratam de pessoas que não conseguem encontrar relacionamentos significativos. O seriado *Sex and the City*[3] foi um sucesso estrondoso, e trata de pessoas infelizes no amor, mas que ansiavam por ele, encontrando sexo em seu lugar. Até mesmo o nosso modo mais conhecido de descrever o amor – *ficar caído de amor* – sugere que de algum modo somos derrubados e ficamos desamparados quando ele acontece.

Em compensação, a fórmula muito repetida de que metade dos casamentos nos Estados Unidos termina em divórcio indica o que algumas pessoas consideram amor. É uma estatística que expressa desapontamento, mas também esperança, o otimismo que impele muitos de nós a uma situação cujo índice de sobrevivência é muito baixo. Não faríamos a opção de seguir uma carreira que oferecesse 50% de chance de desemprego após alguns anos, ou de nos alistar num exército que apresentasse o mesmo risco de ferimentos para seus soldados. Não obstante, os casamentos não dão sinal de desaparecimento. E o que dizer da grande quantidade de pessoas que vivem juntas?

Existe todo tipo de amor, é claro, e o amor sexual entre duas pessoas não é tudo; no entanto, esse parece ser o ponto onde a maioria das pessoas fracassa de modo espetacular. Se conseguirmos considerar isso como parte de um cenário mais amplo, podemos começar a aumentar nossa compreensão sobre as possibilidades do amor, e suas exigências, em todas as suas diversas formas. O anseio por amor está em toda parte, de um modo claro. O que falta é a habilidade de compreendê-lo o suficiente para que possa dar certo. E é por isso que estou escrevendo estas páginas.

Eu fui casado, divorciado e agora estou num casamento feliz; portanto, em certo sentido, escrevo essas linhas com a lama das trincheiras do *front* ainda em minhas botas. Qualquer sabedoria que eu possa ter foi merecida, conquistada de maneira difícil, por meio de inúmeros erros, com os quais tentei aprender. Fiquei tentado a desistir de minha busca, muitas vezes. Mas percebi que mesmo aqueles que parecem ter desistido da esperança ainda anseiam por algum tipo de afeição. Nós desejamos vivamente o amor, a maioria de nós. Nós formamos multidões para assistir às histórias românticas de Hollywood. Parecemos exigir fins felizes para os nossos filmes, seriados cômicos e leituras leves. Assim, apesar de todo nosso anseio de que o amor dê certo, por que somos tão ineficientes em pôr em ação esse desejo?

Parece-me que perdemos de vista o que é o amor e como ele atua, e isso aconteceu há muitas décadas. Nestas páginas eu explicarei em detalhes que há uma outra maneira de entender o amor, que depende de nossa capacidade de ver que o amor existe em diversos níveis distintos. No decorrer de nosso crescimento, somos convidados a atravessar seis estágios: estágios arquetípicos de desenvolvimento pessoal e espiritual. Quando atravessamos esses estágios, a nossa definição do que pode ser o amor muda e se aprofunda, e nós o vemos sob nova forma. Ver a vida dessa maneira requer mais de nós. Esse é um motivo por que algumas pessoas não parecem ter noção alguma do que seja o amor; talvez estejam estagnadas num nível pouco avançado, em que as confusões parecem quase impossíveis de deslindar. Em sua maioria, as pessoas não sabem que existem seis estágios; assim, como podem esperar obter qualquer clareza?

As mensagens sobre o amor em nossos seriados de TV mais cotados são desconcertantes. Pensemos em *Sex and the City* ou *Desperate Housewives*;[4] há uma profusão de atividade sexual, um grande anseio por amor e desejo por corpos bronzeados; não obstante, é muito difícil dizer que existe um comportamento amoroso em todas aquelas intrigas, conspirações e traições. As personagens em *Desperate Housewives* são certamente atraentes, e talvez seja divertido assistir às situações em que se envolvem; contudo, elas estão, bem, *desesperadas*. Parece que elas estão brigando para conseguir amor, mas não têm um senso real do que isso significa. Mas antes de descartarmos esse seriado excelente, cheio de energia e divertido, é preciso notar que uma de suas partes mais interessantes é a maneira como é narrada. Começando com o primeiro seriado, nós temos superposições de voz de personagens que estão mortas (basicamente Mary Alice Young e, a seguir, Rex Van De Kamp, em determinado ponto), e que olham para a vida de seus vizinhos com uma percepção mais imparcial do que qualquer uma das personagens vivas. Na verdade, esse artifício de apresentação narrativa parece pedir à audiência que observe as ações frenéticas com uma certa frieza, enquanto refletimos sobre as confusões em que tantas personagens parecem se envolver. O seriado parece saber que existem mais coisas na vida do que a maioria das personagens individuais pode entender. Além de fazer comentários gerais sobre as situações que estamos assistindo, a falecida Mary Alice Young não nos diz o que é esse *mais*.

Para entender como ficamos tão confusos, enquanto cultura, talvez seja preciso fazer um retrospecto, para descobrir como o amor foi retratado através do tempo.

O contexto histórico

Parte do problema é a própria palavra "amor". É um conceito sabidamente escorregadio, que costuma ser usado como um termo genérico. Nós amamos nossos amigos, nossos pais (bem, quase sempre), nossos filhos, nossos cônjuges, nosso time, nosso emprego, bolo de chocolate... Pelo menos os gregos antigos possuíam mais de um termo para amor; eles diferenciavam entre o amor entre amigos, o amor à terra natal, a cobiça e o amor erótico. Os gregos eram esplêndidos classificadores.

Eles também conduziam a vida de uma maneira que seria desconcertante para nós. Assim, era aceito que um homem tivesse relações homossexuais com rapazes jovens (as quais poderiam ou não ser consumadas); que procurasse o prazer com uma prostituta/amante (novamente, ele poderia escolher não responder aos seus impulsos sexuais); e que também fosse respeitoso em relação a uma esposa que desse à luz os seus filhos, os quais ele deveria educar e formar de maneira apropriada (e talvez até mesmo amar). Um acordo tão flexível era considerado inteiramente normal e parece ter abrangido a maior parte das variantes sexuais disponíveis aos homens. Atualmente, isso seria considerado inaceitável e levaria à conclusão de que os gregos eram obcecados por sexo. Esse seria um modo excelente de ignorar a profunda sabedoria que eles expressavam, embora o seu modo de vida não se ajuste ao nosso senso de decência.

Num momento posterior da história, vemos os romanos, assim como os gregos, fazendo distinções entre o amor erótico e a mera avidez sexual; não obstante, as suas peças, e especialmente as suas comédias, parecem preferir ridicularizar o(a) amante. Um homem apaixonado era um homem que não era mais racional e, portanto, não era mais realmente um homem. A virtude, um conceito inventado pelos romanos, é um termo derivado de *vir*, que significa um homem. A virilidade equivalia à Virtude, e tinha tudo a ver com prosperar, ou progredir. Não tinha muita relação com consideração terna por um parceiro sexual.

 Entretanto, os romanos certamente se interessavam pelo desejo sexual. A meio caminho entre romanos e gregos, o poeta Ovídio (que morreu em 17 d.C.) respondeu ao entusiasmo do mundo romano por diversos temas sexuais recontando mitos que eram, em essência, gregos; essas histórias foram muito estimadas nos séculos que se seguiram. Contudo, existe um fator dominante nessas narrativas e, especialmente, em sua *Metamorfoses*:[5] os amantes se transformam em formas subumanas por sua lascívia, ou ao tentar evitar a lascívia de outras pessoas. As sugestões sexuais eram sentidas, portanto, como sendo de algum modo destrutivas. Elas transformavam seres humanos em animais ou plantas. Dafne é transformada em um ramo de louro em vez de ceder para Apolo; Siringe transformou-se num feixe de caniços para evitar Pan; e Filomena, violada, torna-se um rouxinol. Até mesmo os deuses eram transformados em animais pela luxúria. Júpiter torna-se um touro para conquistar Europa, e um cisne para fazer amor com Leda. Na verdade, as ações burlescas e infames dos deuses olímpicos, todos dormindo com todos e traindo uns aos outros, dificilmente constituem um modelo de comportamento. A natureza anárquica do desejo sexual é bem representada; mas o *amor*?

 À primeira vista, seria perdoável considerar incorrigível a confusão dos antigos. Mas isso seria falta de entendimento. Os gregos estavam interessados em retratar o amor em *todas* as suas formas, o que sugere que este era um tópico de contínua fascinação e importância para eles, e que possuíam uma consciência sofisticada sobre o tema. As lendas dos deuses e deusas podem ser consideradas exemplos do comportamento insatisfatório das pessoas, quando pensam que estão apaixonadas (embora os exemplos sejam extremos). Em caso de dúvida, temos apenas que considerar o exemplo muito familiar de Narciso. Na lenda, Narciso[6] é um belo rapaz de 16 anos que rejeita todas as amantes, inclusive Eco, uma ninfa que o ama e está ansiosa para seduzi-lo. Eco já havia sido condenada por Juno a apenas repetir as palavras dos outros, uma vez que esse já era um hábito seu para retardar Juno, evitando que esta descobrisse os adultérios de Júpiter. Eco, como uma criança surpreendida tentando aplacar a hostilidade de pais ciumentos, já conhecia o sexo e o engano, e havia visto Juno amar sem conseguir ter seu afeto plenamente correspondido. É interessante que Eco fixe a sua atenção na única pessoa que irá rejeitá-la, que é justamente o que seria esperado, dadas as suas experiências anteriores.

 Uma das outras amantes rejeitadas reza para que Narciso se apaixone por si mesmo, para que ele saiba o que é estar apaixonado e não ter esperanças. E assim, quando

Narciso vê o próprio reflexo em uma poça de água, ele o considera tão atraente que desiste de comer e beber, e finalmente morre, ansiando pela juventude do reflexo.

Delicioso, podemos pensar, porque isso explica os ecos e o motivo de a flor de narciso gostar de crescer perto da água, sobre a qual suas florescências pairam, parecendo admirar a si mesmas. Mas é evidente que isso não esgota o que o mito transmite. Pensemos naqueles jovens que atingem a adolescência e se tornam obcecados pela própria aparência, passando horas na frente do espelho, tentando ser uma imagem idealizada de si mesmos, formada a partir de uma revista ou filme. Ninguém pode lhes dizer que é perda de tempo, assim como Eco não conseguiu fazer Narciso voltar à realidade e ao amor caloroso de uma pessoa real. Pensemos em quantos jovens morrem de fome devido a confusões de autoimagem, ou talvez partam para o extremo oposto, com o uso de esteroides que os fazem inchar. Estão apaixonados por uma projeção da própria imagem de si mesmos. Também tendem a ter amigos com aparência e roupas parecidas, e talvez nesse ponto da vida não consigam uma ligação verdadeira com outra pessoa, pelo seu grau de envolvimento consigo mesmos. Aqueles que os amam são forçados a se ajustar ao seu modo autocentrado, como Eco, e devem sempre concordar com eles. Não é isso que vemos com muita frequência com os adolescentes em suas turmas? Eco é certamente refletida no adolescente calado, deslumbrado pela pessoa por quem anseia e, contudo, nutrindo também um sentimento de ódio, por se sentir rejeitado pela pessoa por quem ansiava ser plenamente aceito. Em uma lenda curta, os gregos foram capazes de resumir com perfeita elegância toda uma situação de vida que cada jovem irá presenciar, de uma maneira ou de outra, e que representa uma possibilidade real para o impedimento do desenvolvimento da psique. As pessoas narcisistas são um problema verdadeiro atualmente, uma vez que parecem não enxergar nada, a não ser o próprio mundo. Para elas, sempre se trata de **mim** e talvez sempre seja assim. Devemos considerar o destino de Narciso, se algum dia tivermos de lidar com alguém que pareça narcisista. Devemos considerar, também, o destino de Eco, que seja talvez o nosso, se tivermos de lidar com um narcisista. Uma outra versão de Eco aparece em indivíduos obcecados e à espreita, que é exatamente o que Eco parece ser quando é atraída e persegue o objeto de seu amor. Narciso, como iremos nos lembrar, fala com seu reflexo, e Eco é condenada a repetir suas últimas poucas palavras, as quais ele considera que vêm de seu reflexo, o que o prende ainda mais à sua ilusão. Sem ter essa intenção, ela contribui para a tortura dele. Ela não consegue simplesmente partir, como qualquer pessoa sensata faria.

Para compreender isso, devemos considerar que essa situação poderia acontecer a qualquer pessoa jovem, que poderia ainda assumir ambos os papéis. Se soubermos que essa fase está à espera do jovem em desenvolvimento, podemos alertá-lo, estarmos atentos ao que está acontecendo e ajudar a navegação bem-sucedida dessa travessia, uma vez que esse é um lugar onde o amor pode certamente naufragar.

E caso não compreendamos os pontos essenciais, a lenda nos oferece mais um detalhe. A mãe de Narciso, Liríope, era uma ninfa que foi violada pelo deus do rio, Céfiso. O estupro é sempre um ato de envolvimento centrado em si mesmo, em favor do estuprador, uma viagem narcísica de poder, na verdade, e a vítima sempre fica traumatizada, desconfiada e receosa. Narciso, como podemos lembrar, é um jovem que é amado por todos, homens e mulheres igualmente; mas rejeita todas as tentativas de contato, não apenas as de Eco. Parece estar ávido para evitar envolvimentos, especialmente aqueles que fizeram sofrer a sua mãe e, portanto, ele rejeita a todos. Talvez consideremos a história de Eco e Narciso um mito sobre o envolvimento centrado em si mesmo, baseado no medo; ou talvez como uma história sobre rejeição e fixação; ou ainda, como uma crise de identidade sexual, que pode sobrevir a meninos criados por mães que sofreram abusos. Isso cabe a nós. A história contém todos esses elementos.

Ovídio registrou inúmeros desses mitos gregos porque, embora essas lendas já existissem há muito tempo na época, ele reconhecia o seu verdadeiro poder e valor duradouro; assim, ele quis traduzi-las em toda a sua riqueza.

A ideia principal sugerida aqui é o entendimento profundo da natureza do amor revelado pelos gregos, que exploravam em seus mitos as questões com as quais nenhuma sociedade consegue lidar de maneira apropriada no mundo do dia a dia. Em nossa época, esquecemos como compreender os mitos e tendemos a julgar os gregos e romanos por aquilo que fizeram, e não pela maneira como pensavam. É um pouco como criticar um homem por conduzir uma carroça movida a cavalo quando, de fato, a sua mente é capaz de compreender a construção de foguetes interplanetários. Assim, a sabedoria considerável dos mitos gregos ficou enterrada por séculos. Não porque eles não exprimissem boas ideias, mas por termos esquecido como ouvir tal expressão. Os próprios gregos não tinham problema para a compreensão de seus mitos. É por isso que continuavam a repeti-los e registrá-los; eles sabiam que os mitos continham sabedoria e produziam resultados.

Parte do que faremos neste livro será olhar para as confusões que a história, o mito e a literatura nos transmitiram sobre o amor e indicar que as confusões não se encontram, necessariamente, nas próprias histórias. De fato, a sua origem talvez seja recente; é provável que sua base sejam preconceitos culturais surgidos em nossos tempos acelerados, obcecados com o progresso.

Assim, vamos examinar, por um momento, de que maneira o amor pode ter se tornado um tópico difícil no decorrer dos séculos e por quais motivos.

As palavras de São Paulo não são um mau começo, uma vez que em certa medida elas refletem as nossas confusões modernas acerca de significados. Em sua primeira epístola aos Coríntios, capítulo 13, ele escreveu: "Agora, portanto, permanecem fé, esperança e amor e o maior entre estes é o amor".[7] A palavra "amor" é traduzida como "caridade" na Bíblia do Rei James de 1611, que ainda é a versão oficial da Bíblia protestante, e a escolha desse termo aproximou-o da palavra latina *caritas*. Como algumas versões do texto haviam sido copiadas em latim, isso tem sentido. Entretanto, somente cerca de 250 anos atrás o grande pregador John Wesley questionou essa etimologia e insistiu em dizer que "amor" era a melhor palavra, por não ter a conotação de pessoas prósperas dando somas de dinheiro aos pobres meritórios. *Caritas* implicava um significado de bondade que simplesmente não era traduzida de maneira apropriada pela palavra "caridade" e o conceito que expressava o amor divino, em consequência disso, ficou obscurecido. Poder-se-ia dizer que Wesley estava inspirado ou completamente equivocado; todavia, podemos também nos arriscar a dizer que os escritores latinos tentaram esclarecer que não se referiam ao amor sexual; fosse esse o caso, é provável que empregassem o termo *amor erótico* ou *paixão*.

Retrocedendo a Wesley, nos primórdios da sociedade medieval europeia a ideia de amor sexual era extremamente confusa. O amor fulminante era retratado, geralmente, como um desastre que ameaçava as importantíssimas lealdades ao senhor local e seu clã. A poesia anglo-saxã, desde *Beowulf*[8] até as lendas do rei Artur, está repleta de relatos horripilantes das coisas que ocorriam quando os homens se apaixonavam por mulheres que eram propriedade de outra pessoa. O amor tendia a fazê-los esquecer de suas lealdades ao rei ou clã. Foi isso que destruiu a Távola Redonda de Artur. O caso adúltero de Lancelote com a rainha Guinevere rompeu o laço mais comum de lealdade entre rei e súdito, e o resultado foi a guerra civil. O poder do amor era reconhecido, mas apenas no sentido anárquico e perigoso dos desejos sexuais incontidos. Lembremo-nos de Abelardo[9] e Heloísa, lutando sem sucesso contra o anseio que tinham um pelo outro, ou Tristão e Isolda. Em ambos os casos, o amor é um desastre.

Em *Beowulf* temos a sensação de que o amor está condenado a ser destruído por essas lealdades tribais preponderantes. Por exemplo, quando o bardo vai cantar para Beowulf e os outros, a canção que ele escolhe é chamada de *A Luta em Finnsburgh*. Nessa história, o rei Finn da Frísia é casado com Hildeburg da Dinamarca, uma união que deveria trazer a paz. Infelizmente, o desejo de vingança de Finn devido a antigos agravos faz com que ele ataque o seu cunhado Hnaef, enquanto este se hospeda em sua casa, e então irrompe uma completa batalha. Hildeburg não sabe quem apoiar, o marido ou o irmão. No ano seguinte, os dinamarqueses retornam, matam o marido dela e a arrastam de volta para a Dinamarca. Não foi um fim nada feliz para ela, por ter perdido parentes em ambos os lados. É como se as exigências de lealdade e sua parceira implacável – a vingança – destruíssem o amor.

Essa é uma das pouquíssimas referências em *Beowulf* ao conceito de amor entre um homem e uma mulher. O próprio Beowulf não tem vínculos românticos; nunca sabemos se ele se casa, embora possamos supor que ele teria feito isso, e todas as suas energias se dirigem a ser um súdito leal e, finalmente, um rei correto.

A história de Tristão e Isolda mostra um conflito semelhante ao de Hildeburg. A história sofreu diversas variações até o século XIX, quando ela aparece como a ópera de Wagner, *Tristão e Isolda*.[10] O enredo varia um pouco a cada nova versão, mas os principais componentes comunicam a mesma mensagem sobre o amor. A sua data é anterior à história de Lancelote e Guinevere, e é uma das tragédias de amor mais importantes e influentes de todos os tempos.

Nas primeiras lendas, o rei Marcos da Cornualha envia Tristão, seu parente e cavaleiro mais confiável, para a Irlanda, com o intuito de buscar a sua noiva prometida. Isolda, a jovem princesa irlandesa, pergunta à mãe o que deve fazer se, quando encontrar o seu marido, até então desconhecido, este não a amar. Felizmente, a mãe dela era uma feiticeira e lhe dá um frasco cheio de uma poção do amor para lidar com essa situação futura (em algumas versões é a sua criada, Brangwyn, a encarregada da poção). Tudo parece correr bem, para a felicidade do casamento e o estabelecimento definitivo da paz entre reinos rivais. Mas então se dá a mão do destino. Por acidente, Tristão e Isolda bebem a poção. Esta dá resultado, conforme era esperado, porém nas pessoas erradas. O jovem casal não consegue resistir à sua mágica e passa o restante da história tentando, em vão, superar o desejo. Tristão é assombrado pela traição ao seu rei e amigo; Isolda é torturada pela sua necessidade de dissimular; quando correm rumores de que as coisas não vão tão bem, a família dela decide que o tratado de paz, do qual ela deveria fazer parte, não pode ser mantido; além disso, eles a veem como uma traidora.

O primeiro ponto que podemos levantar aqui é que, para os registradores da lenda (quem quer que fossem) e o seu público, o amor era perigoso porque poderia perturbar lealdades políticas importantes e, em última análise, resultava em traições, guerras e morte. Além disso, essa era uma tensão que claramente os fascinava, o que é uma indicação bastante certa de que o público sabia, por experiência própria, quanto o amor e o desejo sexual poderiam tentar qualquer um a querer escapar dos laços de lealdade familiar. Todas as pessoas já haviam passado por isso, no mínimo como espectadoras, e amavam ouvir sobre isso. O terceiro ponto (e é um ponto importante sobre a percepção) é que o amor é visto como algo que vem de fora da pessoa, criado por uma poção ou um feitiço, contra o qual não existe remédio. Nem Tristão nem Isolda são fracos em termos morais, não mais do que se ambos tivessem contraído uma gripe.

O amor que chega de fora do eu, como Eros e suas flechas atiradas de longe, nos faz lamentar pelos amantes aflitos, mas não nos proporciona uma grande compreensão do que seja o amor. Em francês existe uma expressão interessante para esse tipo de amor repentino e avassalador – *coup de foudre* – que é grosseiramente traduzido por "atingido por um raio". Não é uma má descrição do que pode acontecer, mas é notável o desamparo implícito da pessoa envolvida.

A história de Tristão e Isolda pode não ser nova, mas não dá mostras de chegar ao fim. Uma nova versão cinematográfica apareceu em 2006 (*Tristão e Isolda*),[11] que reflete de modo pleno essa ideia do poder destrutivo do amor. O triângulo amoroso é um tema familiar (que nos leva diretamente de volta ao *Desperate Housewives*). Não obstante, se relembramos o período medieval, em quase nenhuma parte encontraremos os poderes de inspiração e regeneração que o amor certamente tem. A única exceção era o Amor de Deus, que, no decorrer dos séculos, foi cada vez mais associado à supressão da sexualidade, a tendência de tratar a si próprio como um "miserável pecador" condenado ao inferno, a menos que o indivíduo se arrependesse de cada pensamento carnal; havia uma sensação geral de que o mundo era um lugar de maldade e tentações carnais, onde todos estavam corrompidos pelo "pecado original".[12]

Uma perspectiva não muito atraente.

Embora o pecado original fosse de início considerado uma desobediência na história de Adão e Eva, ele se transformou em uma questão de desobediência baseada no desejo sexual, conforme explicou a igreja. A igreja, com seus clérigos celibatários, temia o amor sexual e ainda teme. Infelizmente, esse medo levou a repressões que retornaram para assombrar todos nós, em forma de escândalos de abusos sexuais envolvendo padres e crianças, e a destruição que esses abusos podem causar em vidas jovens.

Em cada um desses exemplos extraídos da literatura, vamos notar uma constante, de que o amor é considerado um conceito estático. Não há nenhuma tentativa de mostrar que o amor pode crescer, ou mudar; ele pode enfrentar desafios, mas quase não se explora o modo como o amor pode se aprofundar e desenvolver, ou parar de crescer, definhar e morrer. Ou estamos apaixonados ou não.

Até mesmo no grande poema de amor de Chaucer, *Tróilo e Créssida*,[13] os amantes troianos são forçados a se separar por circunstâncias que fogem ao seu controle. Quando Créssida tem de ocupar o seu lugar num comércio de prisioneiros com os gregos, ela rapidamente concorda em se tornar amante de Diomedes. O desespero de

Tróilo o transforma num guerreiro corajoso e temerário, mas quando ele é morto e flutua até a oitava esfera do céu, Chaucer nos pede que reflitamos sobre a real insignificância do amor sexual e da atração. Este pode ser um sentimento romântico em sintonia com a ortodoxia religiosa, mas acabamos nos sentindo um tanto sem energia.

Nossas sensibilidades modernas podem nos enganar, uma vez que Chaucer nos fornece uma descrição detalhada do amor de Tróilo – seu desejo, sua necessidade de sigilo, sua devoção, seu desespero em face da traição – e depois o põe em contraste com uma perspectiva inteiramente diferente na medida em que Tróilo ascende ao céu. Subindo acima de todas as coisas, ele olha para baixo com um olho crítico e nos proporciona a oportunidade de questionar tudo o que observamos.

Mas Chaucer faz muito mais do que isso. Desde o início do poema, ele inverte o clichê da pobre donzela seduzida e abandonada, porque é o nobre Tróilo quem é o amante inexperiente, fraco, virginal e Créssida, a viúva mais experiente. O senso prático desta faz que ela zele por sua reputação e posição social, em vez de se atormentar com questões morais, porque, afinal, o seu pai desertou para o inimigo. Assim, somos forçados a ver que a situação difere do estereótipo do cavaleiro e da donzela. Escritores posteriores, como Henryson[14] e Dunbar, retornaram à história para reescrever as próprias versões e foram menos gentis do que Chaucer em relação a Créssida. Na verdade, às vezes suas obras parecem ser as formas mais empedernidas de misoginia. A visão de Chaucer é muito diferente, uma vez que parece convidar a discussão sobre cada aspecto do caso amoroso acima descrito e, nesse processo, vemos o empenho vital dessa sociedade em tentar compreender esse sentimento problemático. As respostas de Glib estão sempre disponíveis para as pessoas de mentes fechadas. A grandeza de Chaucer reside em recusar estereótipos fáceis. Chaucer, nós devemos lembrar, escrevia para a corte, que acolhia bem discussões como essas. A maioria da população não tinha tempo livre para esse tipo de especulação refinada.

Essa cisão nunca foi mais evidente do que nas confusões medievais sobre as convenções do código do amor cortês. Em poucas palavras, essa era uma resposta para os casamentos arranjados da época, que giravam em torno de propriedades. Onde existe casamento sem amor existirá amor sem casamento; assim, as cortes através da Europa viram-se adotando um código segundo o qual era bastante aceitável que um cavaleiro fosse prometido para uma senhora, até mesmo uma senhora casada, como seu "amante", contanto que o adultério não fosse cometido. Ele seria leal a ela, a elevaria ao nível de uma deusa e até morreria defendendo o seu nome; de preferência, faria isso sem nunca revelar seus sentimentos publicamente.

O que isso nos transmite é que em eras passadas as pessoas tinham plena consciência do poder do amor sexual, e da necessidade de idealizar o ser amado; contudo, não tinham quase nenhuma noção do que fazer com esse impulso, ou como alinhá-lo com a religião. A religião insistia que apenas o amor de Deus era importante, mas sinto que isso é uma falha da visão religiosa do *establishment* e não da sabedoria que podemos observar na literatura. Portanto, a literatura era enérgica ao *representar* as tensões da época, mas não tinha soluções para oferecer que não fossem contra o dogma recebido.

Com isso em mente, vamos analisar outra vez a lenda de imensa popularidade de Tristão e Isolda. Os narradores da história são muito específicos acerca do amor fraterno de Tristão pelo rei Marcos, bem como de sua lealdade ao seu rei e ao seu povo. São mostrados três aspectos diferentes de amor e lealdade bem nesse ponto. Então, a história testa essa lealdade até o seu limite, ao introduzir Isolda. A própria Isolda mostra um senso de lealdade e amor em relação ao pai, que é o seu rei, à mãe e aos parentes. Tanto Tristão como Isolda desejam paz entre os reinos e, até certo ponto, desejam ser idealistas abnegados. Quando se apaixonam, eles vivenciam a plena força de suas emoções e sabem que esse tipo de situação nunca poderá ser "correto", por mais que se amem. Não têm a opção de renunciar, como fazem alguns de nossos políticos, para "passar mais tempo com a família". A história é, portanto, um exame cuidadoso de um problema bastante desconcertante e mostra uma sofisticação considerável acerca das forças do amor, mesmo que não ofereça respostas fáceis. Por esse motivo, é importante apresentar *Tróilo,* de Chaucer, porque esse poema continua a discussão além da morte. Tróilo, quando ascende ao céu, é capaz de refletir sobre a existência de um amor mais elevado, que ele nunca havia considerado antes, e sobre seu sofrimento ser causado, em grande medida, por uma recusa em enxergar essa perspectiva mais ampla, que o faria perguntar o que é o amor *em seu nível máximo.* Isso é o equivalente à superposição de voz de *Desperate Housewives* que notamos antes, exceto pelo fato de que somos deixados sem nenhuma dúvida acerca de seus pensamentos sobre a situação toda. Não é senão nesse ponto que Tróilo começa a querer saber o que ele deveria aprender com tudo isso.

Essa é uma questão que ecoa nas peças de Shakespeare[15] também. O amor condenado de Romeu e Julieta é o equivalente exato do poema anterior de Chaucer; quando os dois amantes jazem mortos no palco e as famílias Montecchio e Capuleto prometem fazer paz, seria negligência nossa não perceber que o desejo do frei Laurence de sanar a separação entre as duas casas finalmente havia sido satisfeito, mas a um custo terrível. O amor maior (paz, perdão fraterno e compreensão) é atingido apenas quando o amor sexual é transcendido. O príncipe coloca isso lindamente quando diz, nos quase últimos versos da peça: "A partir daqui, conversem mais sobre essas coisas tristes" (v.iii.306). Ele está *ordenando* tanto aos Montecchio quanto aos

Capuleto que conversem uns com os outros, para que eles e seus lares aprendam sobre os vários níveis e significados do amor, uma vez que a paz não pode ser mantida sem essa compreensão e abertura. Isso certamente é um reflexo do que o público faria: responderia ao drama e meditaria sobre a experiência num momento posterior. É isso que Aristóteles esperava que fizesse o público de uma peça, conforme deixa claro em sua descrição da catarse como um aspecto essencial da obra dramática bem-sucedida. A peça é um convite para reflexões ulteriores.

A mensagem de Shakespeare tem sido perdida nas inumeráveis produções que deixam de considerar esse ponto inteiramente. Parece evidente que Shakespeare está apontando para uma discussão muito mais complexa do amor; não se trata apenas da atração sexual e seus desafios (embora isto, em si, já seja bastante complexo), uma vez que a completa absorção mútua de Romeu e Julieta é apenas um elemento. A peça é muito mais rica, se pararmos de prestar atenção ao que queremos ver (uma história romântica de amor) e observarmos as ressonâncias maiores de muitos tipos diferentes de amor, lealdade e apego. Pensemos no amor que a ama sente por Julieta e como ela insiste para que esta desista de Romeu e aceite Paris, quando as coisas não seguem o rumo esperado. Que tipo de amor é esse? Que tipo de lealdade? Que espécie de amor e lealdade o frei Laurence sente por Romeu, quando quer garantir a paz entre os dois lares, mas está disposto a mentir para isso? E ele, de fato, abandona Julieta na tumba, garantindo assim o seu suicídio, que poderia não ter ocorrido, caso ele permanecesse. Isso é amor? Segundo a doutrina cristã na época, a alma dela poderia ter ido direto para o inferno. E o que pensar da absurda "lealdade" de cada casa por seu próprio nome e posição social, que é fonte de tantas brigas? Fosse qual fosse a intenção de Shakespeare, ele certamente estava fazendo perguntas sobre os diferentes tipos de amor e vínculos. Esses pontos têm sido geralmente relegados ao pano de fundo, o que equivale a estar diante de uma refeição de cinco pratos no cardápio e prestar atenção apenas na sobremesa.

Na verdade, as hostilidades entre as duas casas apenas resultam em feridas mútuas. Ambas as casas perdem seus únicos herdeiros diretos e, assim, são efetivamente extintas. A guerra é um meio de magoar a si mesmo e, portanto, de não amar a si mesmo. É uma lição que deveríamos levar em consideração atualmente, quando perdemos soldados em nossas diversas guerras.

Apesar dessas questões profundas, a tendência geral das pessoas comuns, na época de Shakespeare, seguia sendo a de dizer aos seus filhos e filhas o que fazer, e com quem casar. O amor não deveria arruinar pactos de casamentos, se isso pudesse ser evitado. O amor era bom, mas o dinheiro assegurava que ninguém morreria de fome. Embora a sociedade tratasse o amor de maneira bastante inflexível e pragmática, a literatura continuava a demorar-se na tentativa de o compreender. Não é de surpreender as descrições literárias acerca de como o amor era contrariado por preocupações materialistas, já que isso ocorria em quase toda parte.

Sem dúvida, uma real compreensão e sabedoria estão presentes nessas histórias, mas, em cada um dos casos que analisamos, vimos como os ditames de uma sociedade materialista interferiam. É como se as pessoas tivessem consciência do que era o amor, mas, na verdade, preferissem que ele fosse outra coisa, algo que não atrapalhasse os negócios, o dinheiro, as propriedades e a sobrevivência básica.

Nos séculos XVIII e XIX podemos detectar um movimento para corrigir o desequilíbrio. Romancistas do sexo feminino começaram a defender os pares amorosos, em vez do casamento arranjado pelos pais, e muitas vezes vemos, com prazer, que as personagens levam um longo tempo para reconhecer que estão apaixonadas; nesse processo, elas aprendem muito sobre si mesmas. Jane Austen surpreendeu os seus leitores fazendo Elizabeth Bennet recusar-se a casar com um reverendo que ela não amava. Ela estava determinada a procurar a verdadeira felicidade e ganhou o coração de Mr. Darcy, um homem muito mais sensível que, por acaso, também era rico. Por meio das obras de Austen,[16] George Eliot, as irmãs Brontë e outros, foi revelada, de maneira gradual, a ideia do amor, entre um homem e uma mulher, que ajudasse o desenvolvimento mútuo e fosse produtivo. Levou quase um século de escritores, entre os quais alguns dos melhores eram mulheres.

Jane Austen talvez seja a escritora mais influente em relação a esse aspecto. Basta pensar no reconhecimento revelador de Elizabeth Bennet, de que ela e Darcy eram feitos um para o outro, ou no choque de Emma Woodhouse, quando ela se dá conta de que ama Mr. Knightley, e não pode se casar com ninguém mais, para saber que o amor está sendo tratado de um modo mais exploratório do que antes. O amor cresce dentro das personagens com o tempo. A própria Jane Austen compara esses exemplos, de maneira cômica, quando faz Harriet Smith apaixonar-se por três homens em rápida sucessão e Lydia Bennet apaixonar-se por qualquer coisa que usasse uniforme, contanto que se sentisse atraída. É contra essa superficialidade que Jane Austen lutava e, nesse processo, ela arou um solo novo e fértil, escrevendo sobre como podemos crescer e amar outras pessoas no decorrer do tempo. Pela primeira vez, o amor era visto como uma força dinâmica.

E assim, em alguma medida, isso nos trouxe para o momento atual.

A leve dificuldade em relação à mudança de atitudes promovida pelo século XIX é que ainda se trata de uma perspectiva limitada. Por exemplo, cada história de Jane Austen tende a terminar com o casamento do par feliz. Ficamos sem saber como o casal administra a sua vida depois disso. É de presumir que os filhos e os deveres exigidos de Emma, como esposa de Mr. Knightley, a manterão ocupada pelo resto da vida; ela não passa de uma representante do ideal de casamento "sensível" que devemos aprovar. Não obstante, em nossa época há muito mais do que isso para se almejar. Se alguém se casa com 21 anos, como a maioria das heroínas de Austen, é possível que viva, atualmente, cerca de sessenta anos mais. A literatura recente não diz muito a esse respeito e, em parte, é por esse motivo que perdemos nosso rumo.

Durante séculos, a literatura foi uma rica fonte de informações instrutivas acerca de como viver, dentro dos parâmetros de seu período de tempo determinado. Cada idade tinha seus pontos cegos específicos; contudo, se olharmos além da superfície dessas histórias, veremos que existe uma sabedoria considerável sobre o amor e nosso anseio por ele, e sua parte essencial em nossa jornada de vida. Podemos comparar essa situação com o crescimento de uma árvore. Ela cresce a partir de uma semente e se torna uma árvore, de maneira inevitável. Um jardineiro pode decidir apará-la conforme a tendência da época e criar a forma decorativa que lhe cativar a imaginação. Contudo, ela ainda será uma árvore, a despeito de sua configuração externa. Se buscarmos pela essência real da literatura, por aquelas estruturas internas que são como o tronco e os ramos da árvore, veremos o que os escritores têm dito sobre a natureza do amor no decorrer dos séculos, mas temos de saber onde procurar e, a seguir, ler os livros que mais podem nos ajudar. O problema é que não os estamos lendo. Estamos assistindo a novelas (e essa é uma versão interessante da vida!) ou lendo Bridget Jones,[17] ou assistindo aos filmes de Hollywood cujo financiamento é alto, mas que, infelizmente, carecem de contato com alguma sabedoria profunda acerca da maneira de viver ou de amar.

Se quisermos aprender mais sobre o amor, talvez tenhamos de pensar nele de uma nova maneira. Ao optar por considerá-lo em termos de arquétipos, poderemos descobrir um caminho mais produtivo. Pois Shakespeare e Austen certamente veem o amor como sendo diferente para personagens que tenham diferentes níveis de consciência, e cada um desses níveis corresponde a um arquétipo, que são seis em número.

Os seis arquétipos

Em meu livro *Stories We Need to Know*, eu mostrei como a literatura e, por implicação, a mente humana, parece expressar a sua ideia de desenvolvimento humano em termos de seis estágios específicos. Estes são apresentados na forma de seis figuras arquetípicas, que aparecem na literatura ocidental desde os seus primórdios. Esses arquétipos surgem sempre da mesma forma, sempre na mesma ordem, em todas as obras reconhecidas como a grande literatura no cânone ocidental.

Se isso for assim – e foi o objetivo desse livro mostrar que é assim –, então podemos utilizar esses seis estágios para considerar o que é, possivelmente, a mais complexa das aspirações humanas: o anseio pelo amor. À medida que a pessoa cresce através dos seis estágios, a sua consciência das possibilidades do amor e do que essa emoção indomável pode exigir também aumenta. É bastante acurado dizer, então, que o conceito de amor não pode ser definido, ou mesmo ilustrado de maneira adequada, sem referência à maneira pela qual o vivemos em diferentes momentos de nossa vida. Uma semente, uma muda e uma árvore plenamente desenvolvida de carvalho são essencialmente a mesma criatura, mas inteiramente diferentes em seus níveis de desenvolvimento. Seria absurdo fingir que são exatamente a mesma coisa. O amor não é diferente disso, e deve ser tratado de acordo com essa ideia.

Notas

1. Sting. *Sacred Love*, 2003.
2. Winwood, Steve. *Higher Love*, 1986.
3. A série de televisão *Sex and the City* foi transmitida na HBO de 1998 a 2004, num total de seis temporadas. Foi vencedora de diversos Emmy e outros prêmios. Foram lançados também dois longas-metragens; o primeiro em 2008 e o segundo em 2010. A série está sendo reprisada e foi gravada em DVD. O interesse que provoca ainda não desapareceu.
4. A série de televisão *Desperate Housewives* foi pela primeira vez ao ar na rede ABC, em 2004. Foi vencedora de vários prêmios Emmy, Golden Globe e Screen Actors Guild. Em abril de 2007, foi considerada a série mais popular entre a população de todo o mundo, com uma audiência estimada de 115 a 199 milhões de pessoas (wikipedia). Em 2009 foi ao ar a quinta temporada.
5. Ovídio, *Metamorphosis*, trad. Rolfe Humphries (Bloomington: Indiana Univ. Press, 1955, 1983). Ovídio terminou *Metamorphosis* no ano 8 d.C.
6. A história de Narciso e Eco encontra-se no livro III de *Metamorphosis*, versos 438-505, na edição de Humphries, pp. 67-73.
7. São Paulo, 1 Coríntios 13. A tradução de Wesley pode ser encontrada em: http://wesley.nnu.edu/john_wesley/wesley_NT/07-1cor.html
8. *Beowulf: A New Verse Translation*, trad. Seamus Heaney (Nova York: Norton, 2001).
9. *The Letters of Abelard and Heloise*, trad. Peter Abelard (Londres: Penguin, 1998).
10. *The Romance of Tristan and Iseult* existe em muitas versões. Eu utilizei a edição adaptada por J. Butler e traduzida por Hilaire Belloc (Londres: Dover Editions, 2005). A primeira versão da história pode ter sido de Chrétien de Troyes em 1170. É provável que

essa versão tenha sido incorporada em *Le Morte D'Arthur* de *Sir* Thomas Malory (*c.* 1469). Uma tradução facilmente acessível de Malory, organizada por R. M. Lumiansky, foi publicada por Scribners em 1982.

11. *Tristão e Isolda.* O filme foi exibido em 2006, tendo como produtor executivo Ridley Scott. Estrelaram James Franco e Sophia Myles.

12. A Queda do Homem é narrada em *Gênesis,* capítulo 3.

13. *Troilus and Criseyde.* O melhor texto está em *The Complete Works of Geoffrey Chaucer,* org. F. N. Robinson (Oxford: Oxford University Press, 1970).

14. Robert Henryson viveu de *c.* 1424 a *c.* 1506. *The Testament of Cresseid* foi durante muitos anos considerado uma continuação do poema original de Chaucer. Ver Robert Henryson, *Poems,* org. Charles Elliot (Oxford: OUP, 1963). William Dunbar viveu de *c.* 1456 a *c.* 1513 e é considerado um "chauceriano escocês". *The Tretis of the Tua Mariit Wemen and the Wedo* é a obra na qual ele não mostra caridade em sua avaliação de Créssida e das mulheres em geral. Ela pode ser encontrada em William Dunbar, *Selected Poems,* org. Harriet Harvey-Wood (Londres: Routledge/Fyfield, 2003).

15. William Shakespeare, *The Complete Works,* org. Peter Alexander (Collins, Londres, 1970). Todas as citações de Shakespeare são desse volume.

16. Jane Austen, *Pride and Prejudice* (1813) e *Emma* (1816).

17. Helen Fielding, *Bridget Jones' Diary* (Londres: Picador, 1998).

Capítulo 3

Como funcionam os seis arquétipos

O amor faz tudo e qualquer coisa valer a pena. Sem amor, ser mãe é apenas um trabalho forçado. Sem amor, um pai talvez não passe de um estranho, que aparece após um dia de trabalho. Deixe de fora o amor e o casamento será apenas um outro acordo financeiro. Sem amor, irmãos são meramente rivais assassinos, como Caim e Abel.

Compreender o amor é um pouco como compreender a gravidade: podemos fingir que ela não existe e mesmo assim ela exerce sua força de atração; mas é preciso notar a sua presença e saber como funciona para sentirmos a plena majestade de seu poder. Os irmãos Wright sabiam tudo sobre a gravidade e como poderiam utilizá-la em proveito próprio para explorar uma dimensão inteiramente nova. E, por algum tempo, aqueles que julgavam os irmãos sonhadores pouco práticos ridicularizaram os seus esforços.

Já é tempo de nós compreendermos um pouco melhor o amor, também, e isso requer um entendimento dos seis estágios arquetípicos do desenvolvimento humano.

O livro *Stories We Need to Know* mostrou que os seis níveis de desenvolvimento espiritual funcionam como uma série de arquétipos. Estes são O Inocente, O Órfão, O Peregrino, O Guerreiro-Amante, O Monarca e O Mago.

Nós começamos **Inocentes**, como bebês, como recém-chegados. Não conhecemos as regras, mas queremos nos afeiçoar aos outros e confiar neles. Isso é o que faz um bebê em relações bem-sucedidas entre mãe e criança. A criança aprende como se alimentar e cooperar enquanto é alimentada, e oferece total confiança e amor. Em retorno, a mãe sente um amor que comumente é descrito como "incondicional". A mãe não liga se a criança é um pouco excêntrica ou simples, ela a ama de todo jeito, sem reservas. Basta perguntar a qualquer mãe de uma criança com necessidades especiais, como a síndrome de Down.

Infelizmente, a completa confiança que a criança tem no mundo não é um estratagema realista de vida. As crianças são avisadas a não confiar em todos os adultos, e especialmente nos estranhos que oferecem doces. Não corre tudo bem no paraíso. Os pais não são perfeitos, e a mãe e o pai nem sempre podem melhorar as coisas. Esse reconhecimento é o início da fase do **Órfão**.

O órfão compreende que nem tudo é perfeito, mas mesmo assim concorda em vincular-se a outras pessoas, por segurança; assim, procura ser "adotado" por gente que considera de confiança. No romance de Nick Hornby *About a Boy*,[1] Marcus fica apavorado quando a sua mãe excêntrica tenta se matar e, portanto, determina-se a adotar o maior número possível de amigos e ser adotado por eles. É um livro encantador e mostra o Órfão no melhor de seus 12 anos. A segurança, para Marcus, está no número de pessoas que ele consegue reunir em torno de si, protetoras e confiáveis. Em seu empenho para apresentar uns aos outros todos os indivíduos em sua vida, ele descobre que, sem querer, faz que eles também criem laços de afeto entre si. E o amor cresce.

Sem dúvida, a adoção é boa por algum tempo, mas todos sentem o anseio de explorar além de seus limites. Todos nós precisamos sair da escola, deixar nossos pais, ir embora de casa; caso contrário, não conseguiremos descobrir quem somos quando estivermos por conta própria. Alguns indivíduos acham isso, às vezes, amedrontador e difícil de administrar. Fogem às pressas para a segurança do emprego estável, garantindo a sua adoção pelo grupo, pela organização ou pelas expectativas das pessoas a sua volta. Eles se estabelecem e se adaptam. O Órfão olhou em torno, viu qual era o desafio e decidiu voltar para a condição de Órfão.

Não obstante, se de fato nos arriscarmos a sair dos ditames sociais, a permanecer nesse caminho, e se de fato decidirmos que vale a pena procurar por algo mais, nós nos tornaremos **Peregrinos**. Na condição de Peregrinos, deixamos para trás o conforto convencional, saímos em busca de significado, que geralmente equivale à busca pelo senso de propósito que virá, conforme esperamos, com o amor. O movimento hippie ("Faça amor, não faça guerra") era famoso por peregrinações de diversos tipos. Os milhares de pessoas que iam aos bandos para Woodstock, para Altamont, para todos os concertos ao ar livre da época, todas elas estavam em algum tipo de busca, soubessem disso ou não. Talvez apenas quisessem a experiência, ou as drogas, ou o sexo livre. Mas elas queriam algo e queriam muito. Assim, os hippies viajavam para Marrakesh, para Katmandu, para o Cairo, em busca dos yogues na Índia, ou das comunidades em Nevada, das praias de surfe no Havaí. No meio do caminho, muitos deles esqueciam o que estavam buscando e simplesmente caminhavam sem destino, até que, Órfãos novamente, encontravam um lar.

Alguns sabiam o que estavam buscando, e encontraram.

Ao encontrar o que buscavam, viam-se transformados em pessoas que haviam assumido uma causa real. Eles se tornavam Guerreiros. E assim como não podemos lutar por aquilo que não amamos ou respeitamos, eles se tornavam conscientes do amor.

Esse estágio, que iremos chamar de **Guerreiro-Amante**, inicia-se quando o indivíduo se compromete com outra pessoa, ou com uma causa, ou às vezes ambos. Esse é o ponto em que a pessoa que ama assume um compromisso real com um relacionamento, de uma maneira que aceita a outra pessoa como alguém que irá mudar e crescer. Isso significa que a vida será um desafio algumas vezes, na medida em que cada membro do casal terá de compreender o outro e as mudanças que podem ocorrer, e cada um terá de fazer as adaptações necessárias. Isso é bastante diferente do antigo paradigma em que o homem dizia à mulher quem ela deveria ser.

Contudo, conforme sabemos, o compromisso e a energia em um relacionamento nem sempre bastam, e assim como, por exemplo, alguns professores talentosos descobrem que podem ser mais úteis passando o seu conhecimento para outros professores em vez de ensinar os alunos, também o Guerreiro-Amante começa a querer educar em uma escala maior. Quer isso signifique a promoção de um executivo enérgico para o cargo de diretor de outros executivos, quer signifique a mãe ensinando a seus filhos como lavar a roupa e cuidar de si próprios, o efeito é o mesmo. O participante ativo Guerreiro-Amante começa a permitir mais espaço aos outros. A confiança nasce disso – e que amor consegue florescer sem confiança? Eu mostro confiança em outra pessoa; ela respeita isso, aprecia a sensação de ser digna de confiança e retribui a gentileza. Quando a confiança é estabelecida, o Guerreiro-Amante deixa de ser o exército de uma pessoa só e se torna, em vez disso, um **Monarca**.

Talvez a maneira mais fácil de compreender essa transformação seja lembrar que o Guerreiro-Amante tende a estar comprometido com um relacionamento especial com outra pessoa, e em determinado momento, essa relação tem de se abrir para uma noção mais inclusiva do que podemos fazer com nossa própria vida. O Guerreiro-Amante talvez comece com um forte relacionamento amoroso com alguém significativo e dedique grande quantidade de tempo e energia a isso. Entretanto, chega um momento em que cada pessoa desejará ampliar seus relacionamentos, exercer um papel maior na sociedade. É típico que o par amoroso descubra que seus filhos o levaram a uma ligação maior com os vizinhos e com a sociedade, ou com o sistema escolar local, por exemplo, e essa consciência de novas questões pode levá-los a assumir papéis de liderança dentro de seu novo círculo social ampliado. Esse é o ponto em que eles podem se tornar Monarcas.

As monarquias são quase sempre formadas por um par, homem e mulher. Esse arquétipo é uma representação simbólica da fusão do estereótipo do poder executivo "masculino" com as virtudes "femininas" de nutrição e compaixão. Essa fusão deve ocorrer *dentro* de cada indivíduo, assim como ying e yang juntos compõem um círculo completo. Para alcançar esse nível temos de saber quando ser severos e quando ser compassivos. Assim como o populacho confia no Monarca para fazer a coisa certa em prol de todo o reino, o Monarca deve ser sensível às necessidades do povo à sua volta. Quando esse contrato de interdependência amorosa fracassa, o Monarca não dura muito. Pouco antes da Revolução Francesa, a famosa declaração de Maria Antonieta, ao saber que o povo não tinha pão, foi: "Que comam brioches".[2] Ela simplesmente não conseguia imaginar que alguém pudesse estar faminto, por nunca ter passado fome, e não se deu ao trabalho de averiguar o que de fato se passava no reino. E assim a Revolução Francesa a levou, e a muitos outros, rapidamente, para a guilhotina; a tirania, que é o governo sem amor nem compaixão, raramente dura muito.

A tarefa do Monarca é realizar, cada vez melhor, as tarefas de confiar, nutrir, instruir, orientar e construir relacionamentos amorosos. Esse amor pode muito bem ser estendido à ideia do estado, ou de império, ou algo semelhante, mas não de um modo cego e xenófobo. É um amor de maior alcance, cuja base não é o desejo de se vincular a algo ou alguém, mas o sentimento profundo de ser *responsável* por esse vínculo. O Monarca realmente alerta sempre sabe que é seu dever preparar o reino, para dar-lhe continuidade efetiva após a sua morte. Se esse dever (mais uma vez, trata-se de um dever amoroso) for cumprido com sucesso, o líder gradualmente delegará mais poder aos outros na execução concreta das tarefas e se tornará um respeitado repositório de sabedoria. Um monarca desse porte passa para o sexto estágio, o de **Mago**. Assim como o Mago do baralho de Tarô, essa figura respeitará os costumes e ritos do que é sagrado, preservará leis e acordos, e o fará à maneira de um sacerdote. A mera existência de um sacerdote de qualquer grupo religioso pode ser um lembrete de como deveríamos nos comportar e das expectativas mais elevadas para todos. O Mago não precisa dizer muito; a mágica funciona pelas ações das pessoas e sua confiança naquilo que é bom, o que, certamente, é uma outra forma de amor.

E assim vemos como cresce o amor. Somos convidados a fazer uma jornada durante a qual podemos passar do Inocente ao Órfão e daí para o Peregrino, o Guerreiro-Amante, o Monarca e, finalmente, o Mago. Cada estágio representa um novo ajuste fundamental do eu ao mundo externo, e nenhum estágio pode ser pulado. Em cada estágio devemos reavaliar o significado do amor. De fato, sempre que iniciamos algo novo, como um emprego ou um relacionamento, tendemos a começar como Inocentes e a nos esforçar para progredir. Às vezes passamos rapidamente pelos primeiros estágios, pois já nos conhecemos e estamos atentos às nossas ações, mas às vezes não conseguimos fazer isso.

Notas

1. Nick Hornby, *About a Boy* (Londres: Penguin, 1998). O filme de muito sucesso com o mesmo título (no Brasil, *Um Grande Garoto*), estrelando Hugh Grant, foi exibido em 2002.

2. "Que comam brioches" é uma frase tradicionalmente atribuída a Maria Antonieta (1755-93), consorte e rainha de Luís XVI da França. Entretanto, ela foi registrada em primeiro lugar por Jean Jacques Rousseau, em seus 12 volumes de *Confissões*, publicados em 1770. Uma vez que as palavras aparecem no volume 6, escrito em 1767, a "grande dama", não nomeada, que teria, segundo ele, proferido essas palavras, pode não ter sido Maria, pois isso aconteceu três anos antes de ela aparecer na França.

Capítulo 4

O Inocente

O que o Inocente pode nos ensinar?

Pode-se dizer que a primeira coisa que aprendemos é o amor. Entretanto, essa colocação pode ser enganosa, já que o recém-nascido expressa, possivelmente, a sua natureza instintiva: a necessidade de ser alimentado. Logo a seguir vem a necessidade de ser acalentado, aquecido e, sim, amado. O que observamos entre mães e filhos é um vínculo tão básico e poderoso que é difícil atribuir-lhe uma palavra adequada. As mães, quase sem exceção, amam seus bebês com uma ferocidade que às vezes as surpreendem. Os bebês são geneticamente programados para amar suas mães (isso ajuda seu índice de sobrevivência) e, não obstante, o que surge daí é, com certeza, um milagre para todos.

A criança aprende a cooperar, a mamar e, tão importante quanto isso, descobre como *ser* alimentada. O ritmo suave de vaivém de ser embalado e alimentado, acalmado e confortado, é vital para o desenvolvimento da criança. As crianças que não são tomadas nos braços e não aprendem a mamar raramente prosperam. No seio, o bebê aprende muitas lições, e os resultados dessas lições básicas ajudarão a formar aspectos importantes da sua psique para o resto da vida. A criança aprende como criar vínculos – como amar – e esse amor contém um componente recíproco. Ao aprender a expressar necessidades e esperar que elas sejam satisfeitas, ela também aprende a honrar as suas necessidades internas e a ser otimista acerca da disposição do mundo externo em responder a ela. Aprende que ela é *merecedora* e, por isso, ela ama a si mesma. A criança aprende sobre o prazer, também; todo aquele leite morno deixa-a satisfeita e sonolenta, e ela se sente segura.

Tudo isso já foi observado, e pode ser visto em qualquer ala de maternidade, ou em qualquer parte onde se reúnem as mães e suas crias. A ausência dessa aceitação amorosa pode ter resultados surpreendentes, e é por esse motivo que considero esse estágio repleto de lições importantes, que devem ser assimiladas para que o indivíduo consiga progredir. As crianças não aprendem esses aspectos importantes da vida por puro acaso. Elas aprendem pela exposição positiva a esse amor. Quando ele não ocorre, por qualquer razão, a perturbação no crescimento emocional da criança pode causar verdadeiros danos. Quando eu era recém-formado, trabalhei com adolescentes emocionalmente perturbados e percebi quantos deles não conseguiam formar vínculos, não amavam a si mesmos, tinham dificuldade em confiar e ficavam ansiosos com o tema da alimentação. A comida era suficiente? Era segura de se comer? Quem a havia preparado? As ansiedades que apresentavam em torno dessas questões básicas geralmente eram expressas como comportamentos agressivos.

Os mais difíceis dentre esses jovens adultos eram os que haviam sido abandonados numa idade muito precoce, sem os laços afetivos criados pelas mães; ou os que sofriam carência emocional, por causa de pais inadequados, pobreza ou uma mistura de ambos. O dano causado nessa fase muito precoce não havia sido plenamente restabelecido pelas relações amorosas posteriores; assim, no prédio onde eu trabalhava chegavam adolescentes destrutivos, violentos e autodestrutivos, às vezes inteiramente incapazes de aceitar qualquer responsabilidade pelos seus atos. De fato, alguns formavam até uma ideia distorcida do que era causa e efeito. O jovem que fez uma ligação direta em meu carro e o fez colidir contra uma árvore recusou-se a admitir que estava no volante (mesmo tendo sido eu a arrastá-lo para fora do carro) e, num momento posterior, acusou-me de manter os freios de meu veículo em mau estado. Essa foi uma experiência esquisita de se observar, e é inevitável pensar que a ausência da experiência básica de amor e confiança pode ter colaborado para esse modo estranho de ver o mundo externo, onde não havia conexão entre os eventos.

Certos danos psicológicos podem ser ainda mais profundos. As crianças que foram molestadas sexualmente estão propensas a desenvolver múltiplas desordens de personalidade, às vezes chamadas de Desordens Dissociativas de Identidade. Em poucas palavras, se uma pessoa passa por um evento traumático (e eventos traumáticos são sempre o oposto de eventos amorosos), existe uma reação de choque dentro da criança que diz, na verdade: "Isso não pode ter acontecido comigo. Deve ter acontecido com outra pessoa". E assim a psique criará uma subpersonalidade para conter a experiência de maneira que ela não extravase e domine a autoimagem que já existe. A experiência assustadora permanece trancada em uma área separada da memória e, assim, não é fácil obter acesso a ela e torná-la alvo de uma cuidadosa reflexão; sem isso, o trauma não pode ser curado. Em uma situação mais saudável, os eventos que não são agradáveis e amorosos podem ser acessados, com a finalidade de serem compreendidos e resolvidos, geralmente com a ajuda amorosa de outras pessoas em quem confiamos.

É óbvio que nem sempre é possível apontar um aspecto da vida de uma criança e atribuir um único evento que tenha causado a dor. Contudo, sabemos que a privação precoce pode causar uma confusão considerável na consciência de uma criança em desenvolvimento, e que essa privação precoce sempre contém um componente emocional. A experiência de um amor confiável, entretanto, pode proteger as crianças dos piores efeitos do trauma. As crianças conseguem lidar com a fome, o medo e privações físicas horrendas e, ainda assim, recuperar-se rapidamente. O que é impossível de lidar é com a privação de um amor constante e confiável.

À medida que a criança bem amada cresce, ela vive em um mundo relativamente benigno. De uma maneira ideal, ela vive a experiência de ser amada e cuidada, e desenvolve, em consequência disso, um senso de valor próprio. Cada refeição é um reforço da mensagem: "Você é importante. Nós alimentamos você. E você deve se ajustar e comer tanto quanto comemos, quando comemos". Esse cuidado se reflete em todas as outras atividades: desde a criança ser vestida, banhada, até ser colocada na cama num horário adequado; a partir dele é construída a confiança da criança de que o mundo dos pais tomará conta dela. Quer chamemos isso de uma noção que a criança tem de direito próprio, quer chamemos de uma decisão de aderir a um contrato familiar, o laço de amor que ela sentiu na condição de bebê indefeso não é afrouxado, mas sutilmente alterado. Existem expectativas e exigências que acompanham essa situação. Se tiver sorte, a criança aceita os ritmos da vida, o amor e a cooperação.

É evidente que as crianças são travessas e desobedientes e, ao cometer seus pequenos delitos, elas estão, como dizemos, "testando os limites". Não fazem isso apenas para irritar. O que estão testando, de fato, é até onde vão o amor e a aceitação, antes que o amor se transforme em outra coisa: a repressão amorosa. As crianças conseguem deixar-nos exaustos enquanto avançam os limites dessa maneira. Não obstante, esse fascínio infantil de impunidade se torna muito mais compreensível quando vistos como a tentativa das crianças de descobrir o ponto em que o amor se transforma em seu aparente antagonista: a raiva. Como o amor é a coisa mais importante de suas vidas, descobrir que ele pode ser transformado numa outra coisa, algo desagradável, é análogo a perguntarmos quanto somos dignos de amor. Talvez seja por isso que ficamos retornando a esse tema. Um adulto vai brincar com uma vela acesa, estimulando-a talvez. "Eu faço isso, ela continua queimando. Eu faço aquilo, ela continua queimando. Eu faço isso... epa! Agora estou no escuro." Os seres humanos costumam testar os seus limites, sejam eles limites atléticos ou de velocidade, na estrada. Em cada caso, pensamos: "Sou especial, posso obter êxito".

Em cada caso, essa impressão de ser especial depende da impressão de ser amado *por sermos o que somos,* que aprendemos no seio e na infância. Pense nisso na próxima vez em que estiver em alta velocidade. Talvez por esse motivo parecemos ficar ressentidos com o guarda de trânsito que nos multa. "Como ele pôde fazer isso comigo? Será que ele não sabe que já estou atrasado?" Mas por que guardar rancor se ele fez algo que preserva a segurança de todos nós? Deveríamos ser-lhe gratos. É nossa sensação de "sermos especiais" que impede que usemos a lógica nessa situação. Com 6 bilhões de pessoas no planeta, nenhum de nós é mais "especial" que o outro, e ninguém está acima da lei. Mas acreditamos que sim. Talvez a experiência de sermos amados envie uma poderosa mensagem de sermos especiais, e isso é algo que dura a vida toda.

Os amantes fazem isso quando se perguntam coisas como: "Você ainda me amará quando eu ficar velho e de cabelos brancos?". Isso parece infantil e, de certa maneira, é mesmo, porque eu já vi crianças fazerem perguntas semelhantes a seus pais. Eu me lembro nitidamente de um de meus amigos na escola perguntando aos seus pais, nervoso, sobre o requerimento de matrícula feito em uma escola particular de alto nível: "Mesmo que eu não passe no exame de admissão, vocês continuarão me amando?". A pergunta real não tem relação com a escola, mas com a necessidade de sentir uma total aceitação por parte de seus pais.

A capacidade da criança de sentir um amor sincero, de sentir-se bem sendo exatamente o que ela é, torna-se uma enorme vantagem quando ela se apaixona e forma uma parceria na vida. A capacidade de confiar é essencial em qualquer relacionamento maduro. Nenhum casamento pode dar muito certo ou durar muito tempo sem confiança. Mas o que queremos dizer com confiança? Talvez um exemplo ajude. No filme *O Resgate do Soldado Ryan*[1] há uma cena em que uma família francesa está isolada no andar superior de sua casa quando metade desta desmorona, devido a um bombardeio. Os soldados americanos chegam até a casa, e o pai francês levanta a sua filha de 7 anos e a entrega para os soldados, no solo. No momento em que isso acontece, ouve-se um tiro, os soldados levam a menina para um abrigo, e a família volta a se esconder no quarto destruído. Segue-se um tiroteio e no fim dele os soldados, agora em menor número, ajudam os civis a descer até o chão. A menina começa a gritar com o pai, golpeando-o, gritando que ele não deveria tê-la abandonado. É uma cena que chama a atenção, baseada num evento real. Ela diz muito, porque o que vemos nesse breve episódio é uma criança amedrontada, mas que tinha total confiança, amor e fé em seu pai. Quando ele a entregou para estranhos, ela conheceu o terror do abandono, o medo da morte, do qual ela se sentia protegida, de alguma maneira, na presença dele. Ela bate no pai porque este havia *traído* (de seu ponto de vista) todas as suas expectativas em relação a ele. O amor dele faz que ele queira salvar a filha. O amor dela faz que ela o ataque, perguntando, na verdade: "Como você pôde tratar meu amor e confiança assim? Que tipo de pai você é?". A emoção em cada caso é amor, e nós testemunhamos seu enorme poder. Uma vez que o filme como um todo diz respeito a questões de confiança, lealdade, amor fraterno e o que acontece a esses sentimentos na presença de extremo perigo, não é um capricho considerar de que maneira esse incidente lança luz sobre esses tópicos importantes.

A necessidade amorosa que os bebês expressam causou grande surpresa a algumas mães com quem eu conversei, bem como com seus próprios sentimentos maternais. Uma mulher descreveu seu sentimento como "feroz". Uma afirmação menos notável veio de uma mulher que equiparou o vínculo entre mãe e filho ao "amor divino". É incondicional e indestrutível, embora, à medida que a criança cresce, esse amor se transmute em mero amor humano comum, conforme ela explicou. Contudo, ela disse, a experiência daquele primeiro amor a fez se lembrar do que Deus deve ter sentido quando a Criação aconteceu. O criador era a criação, e a criação era parte do criador. Não havia separação.

Para que o estágio do Inocente seja plenamente honrado, não se deve considerá-lo sob uma perspectiva açucarada, no estilo de Disney, com violinos ao fundo. Ele deve ser considerado em toda a sua simplicidade e força primordiais. A criança sabe como amar, e não apenas porque a mãe é boa, ou bonita ou sabe tocar piano. A criança ama o cerne do que é a mãe, antes mesmo que a palavra seja conhecida. Se a saudação hindu "Namastê" (o divino em mim saúda o divino em você) significa alguma coisa, possivelmente é o que acontece, todos os dias, entre uma mãe e seu bebê.

A chegada do bebê traz as qualidades de amor, confiança, afeiçoamento, fé total na outra pessoa e a aceitação incondicional do outro que começa a existir, de uma maneira que talvez só tenha sido vivida quando a própria mãe era um bebê. Embora essas qualidades não constituam uma estratégia viável para viver e progredir em nosso mundo material de hoje, podemos nos perguntar se o engano é do bebê ou do modo como o mundo se transformou. Por que a inocência do bebê não deveria convencer? O erro está em nós próprios.

Vamos analisar isso por um momento. Por que é que esse amor extraordinário não consegue sobreviver?

Tanto *Um Curso em Milagres*[2] como as palavras do escritor e conselheiro espiritual Eckhart Tolle[3] sugerem que estamos em um mundo em que o ego geralmente tem pleno domínio, e é isso que faz que desviemos nossa atenção do amor ao próximo, que é semelhante a nós. Em vez disso, concentramo-nos nas nossas diferenças.

Um Curso em Milagres nos diz que essa é a ilusão que sofremos, que causa a separação de nossa verdadeira natureza amorosa. A psicologia sugere exatamente a mesma coisa, embora a visão ortodoxa seja a de que o amor idealizador da criança entra em agudo conflito com um mundo imperfeito, de modo que o amor tem de ser abafado. Isso é aceitável e isso é normal. Se as lendas do exílio do Jardim do Éden contiverem alguma verdade psicológica, pode-se dizer que a queda de Adão e Eva num mundo de trabalho e dor é este em que vivemos, quando nos separamos desse Deus-amor. Toda criança é lançada fora do Éden quando as demandas do mundo se intrometem na proximidade entre mãe e filho.

O escritor e pregador Frederick Buechner[4] expressa essa ideia de separação de um modo interessante. Ele sugere que até mesmo a escolha das palavras "Deus existe" é uma contradição, uma vez que dizer que Deus existe é dizer que Deus pode estar situado fora de si mesmo (*ex-sistere*). Se pudermos imaginar um Deus que existe, podemos também imaginar um Deus que não existe, ou que nunca existiu. Poderíamos imaginar um Deus com uma flutuante barba branca, sentado acima das nuvens, e com muitos atributos, incluindo a onipotência, tração nas quatro rodas, ar-condicionado e porta-copos, exceto, infelizmente, existência. Contudo, se Deus for como uma mãe dando à luz seus filhos, então Deus estará sempre em suas criações, assim como a carne e o DNA da mãe estão em seus filhos, estarão em seus netos, e assim por diante. Se Deus é tudo, então tudo é Deus. Apenas pensamos que temos uma existência separada, e é aqui que nosso ego nos desencaminha. Estamos todos ligados, segundo esse pensamento, e quando amamos nosso irmão estamos amando a nós mesmos, uma vez que nosso irmão somos nós mesmos. Buechner coloca isso desta maneira: "Deus faz o mundo com amor. Por uma razão ou outra, o mundo escolhe rejeitar Deus".

Assim, pode-se dizer que Deus, a força criativa definitiva, ou seja, como escolhemos chamá-lo, trouxe todas as coisas à existência e, com certeza, Deus ama todas as coisas, mesmo que nem sempre amemos uns aos outros, ou o planeta, ou o mistério divino que nos trouxe aqui. Isso é exatamente como a experiência de qualquer mãe. A criança cresce, se afasta e vive uma vida independente; no entanto, a mãe irá sempre lembrar aqueles primeiros dias, em que um significava tudo para o outro.

As lições que a criança muito pequena aprende têm, portanto, tudo a ver com o amor em sua forma mais pura e poderosa. Considerar o conselho de Jesus, segundo o qual deveríamos ser como crianças pequenas na nossa trajetória neste mundo, causa um impacto extra.[5] Esse não é um conselho mundano. Ele não vai torná-lo o diretor-geral de uma empresa listada na *Fortune 500*. É um conselho espiritual. Nós podemos dar a César o que é de César, ou podemos dar a Deus o que é de Deus, mas em algum momento temos de decidir qual deles queremos colocar em primeiro lugar. Se colocarmos primeiro o amor puro, disse Jesus, então realmente não devemos nos preocupar com coisas mundanas.

A ideia é convincente. Um olhar, ainda que superficial, para a natureza nos revelará que os animais geralmente amam suas crias, embora isso não se aplique a todos os animais. Os répteis que põem ovos e os peixes em geral não têm a ver com a criação da prole; até mesmo alguns pássaros são bastante desinteressados dos resultados de seu acasalamento. Apenas os mamíferos parecem criar os filhotes, que são dependentes deles por muito tempo e que podem, de fato, tornar-se parte da tribo ou família durante toda a vida dos pais. Esse elo familiar é mais altamente desenvolvido entre os primatas. Quer gostemos disso ou não, quer acreditemos em Deus ou não, um dos principais interesses dos seres humanos é manter um bom relacionamento com outros membros da mesma espécie; portanto, todas as lições da vida podem ser reduzidas a questões de amor. Mesmo em nossa sociedade altamente tecnológica, na qual podemos permanecer em casulos com ar-condicionado pela maior parte do tempo, temos de interagir com outras pessoas, ter empregos, pagar contas, comprar alimentos e concordar em agir conforme um monte de regras bastante complicadas, que garantem que possamos permanecer vivos e operantes. Todos que já preencheram uma declaração de renda sabem disso. Vezes sem conta somos mais ou menos forçados a descobrir como nos dar bem com os outros. Somos sempre conduzidos de novo ao amor, de uma forma ou de outra. O nosso êxito nesse sentido pode estar muito relacionado às nossas tendências humanas inerentes: somos extrovertidos ou introvertidos; temos coragem ou temos as outras pessoas? Mas pode ter muito que ver também com as lições que aprendemos mamando no seio de nossa mãe.

As lições que o Inocente pode dar estão à nossa disposição, sempre que quisermos. Podemos ver aspectos do Inocente na completa confiança compartilhada por casais felizes. Eles simplesmente confiam um no outro. É evidente que isso pode vir da ignorância, ou preguiça, ou estupidez, mas pode ter origem em uma fé verdadeira no outro. Essa fé não poderá crescer se cada pessoa envolvida não acreditar que é digna de amor e respeito, e esperar o mesmo tratamento. Não se trata de os parceiros terem uma confiança proporcional um no outro. Não é uma situação em que bastem 85% de confiança. Ou existe completa confiança ou nenhuma. Essa é a pureza do padrão do Inocente.

Contudo, é preciso observar um outro aspecto. O Inocente sempre será aquele que perdoará facilmente, às vezes facilmente demais, pelo menos enquanto permanecer Inocente. O pai ou mãe continuará aceitando de volta o filho, a esposa irá sempre aceitar de volta o marido, o filho irá sempre desejar perdoar os maus-tratos do pai ou da mãe, mas apenas até certo ponto. Quando esse ponto é atingido, o indivíduo se torna um Órfão.

Reservemos um tempo para observar uma mãe e uma criança pequena, ou uma creche e, ao fazê-lo, tentemos ver o que acontece como um exercício de amor, por mais imperfeita que seja a forma em que é expresso. Mães e pais podem se agastar e se queixar e ralhar, mas estão presentes, cuidando, sendo dedicados e amorosos. Os bebês podem berrar de aflição, mas quando a mãe aparece essa ansiedade é esquecida na confiança restabelecida do amor. É a forma mais básica de perdão. Essas lições aguardam por nós em toda parte.

Os desafios acerca do Inocente

Embora o Inocente seja a base de tantas lições importantes que serão fortalecidas posteriormente na vida, a armadilha específica em que esse arquétipo pode cair é a de se recusar a ver que existem outras lições. Essa é a pessoa que não fará perguntas difíceis e cuja resposta às dificuldades é a de trabalhar mais duramente, oferecer mais apoio e passar por mais sacrifícios. Embora estas sejam qualidades maravilhosas, elas estão totalmente abertas à exploração. Todos nós temos um pouco disso quando acobertamos outra pessoa sabendo que ela está abusando de nossa generosidade, mas ainda assim persistimos. O Inocente pode confiar e, em algumas ocasiões, irá confiar demais, ou não, de maneira sábia. Às vezes, o Inocente parece incapaz de ver que os outros podem ter critérios diferentes, e muitos casamentos sofreram porque um dos parceiros tem uma noção muito mais autocentrada do que é o relacionamento, e é autorizado a escapar das consequências de comportamentos que seriam inadmissíveis em outra parte. Contos de fadas e mitos estão repletos de exemplos de donzelas que não questionam os atos irregulares dos reis que as desposam, e às vezes as mulheres têm de ser retiradas de cena até que, por remorso, o rei conquiste o direito de tê-las de volta. *A Garota Sem Mãos,*[6] dos irmãos Grimm, é um exemplo vívido disso. A menina salva os pais do demônio permitindo que suas mãos sejam cortadas fora. Posteriormente, o demônio forja cartas do rei que casou com ela dizendo que ela deve ser morta. A mãe do rei intervém e a manda embora. Os anjos cuidam dela e suas mãos crescem novamente e, após sete anos de busca, o marido dela a encontra outra vez. É uma história muito estranha até que optemos por vê-la como um retrato ao mesmo tempo da força e da fraqueza do Inocente. Ela sacrifica a si mesma por completo, e sua paciência e confiança, no final, de fato derrotam o demônio e o poder das mentiras, permitindo que ela se torne inteira novamente. O interessante é que o filho dela, que ela leva junto para o exílio, é chamado Pesaroso. É quase como se o Inocente pudesse existir no mundo, mas apenas ao preço de sentir tristeza – e no fim a garota precisa também de um rei forte e determinado para tomar conta dela. Afinal, ao enfrentar as maquinações do demônio ela perde as mãos, o que é uma indicação óbvia de seu desamparo inicial diante da falsidade.

Na história a garota é, ao mesmo tempo, inocente e absolutamente capaz de perdoar. Na verdade, o Inocente pode nos ensinar que é melhor que o perdão seja oferecido na hora, sem hesitação, exatamente como ela faz, de modo natural. Porém, ele precisa ter o apoio de ações autoprotetoras. Sem dúvida, devemos perdoar a pessoa que nos ofende ou magoa, e, se ela não for capaz de entender o significado do perdão, tendendo, portanto, a repetir as mesmas coisas perniciosas, medidas apropriadas deverão ser tomadas para conter, ou educar, ou evitar essa pessoa. Não obstante, a narrativa é bastante precisa acerca de uma outra coisa, a saber, que a história não pode ter um fim feliz *sem* o perdão. De algumas maneiras, é um conto extremamente exato, apesar de toda sua estilização. O sofrimento vai existir no mundo, contudo o perdão muda a nossa relação com ele. Que a garota tivesse dado à luz uma criança chamada Pesaroso, gerada pela pessoa que a tinha magoado, e que ela tenha amado essa criança apesar de tudo – isso indica o poder do amor de transformar o mal em bem.

É muito comum pensarmos no Inocente como alguém que é confiante e fácil de enganar. O que temos de lembrar é que o Inocente é confiante e *primeiro* vê o que há de bom em algo, ou alguém. Essa pode ser uma qualidade maravilhosa e é essencialmente otimista. Como qualquer um sabe, estar perto de um otimista não apenas é mais divertido do que estar junto de um pessimista, mas também cria mais possibilidades para as interações positivas com outras pessoas e, portanto, cria um futuro melhor. Os Inocentes podem, por vezes, entristecer-se quando as coisas vão mal, mas nunca ficarão deprimidos por muito tempo. A epidemia de depressão e as doenças relacionadas à depressão no Ocidente podem muito bem estar ligadas à perda do otimismo do Inocente em nossa cultura.

Pontos a considerar acerca do Inocente

Talvez o ponto mais importante a se lembrar acerca do estágio do Inocente é que muito pouca gente permanece nesse estágio por muito tempo, porque as pessoas crescem, enfrentam o mundo e precisam de defesas para fazer isso. Contudo, sempre que começamos qualquer coisa nova, iremos, pelo menos por um tempo, começar no estágio do Inocente. Isso pode ser especialmente verdadeiro quando nos apaixonamos. Podemos desejar tornar a outra pessoa o centro de nosso mundo, exatamente como a criança, de uma maneira diferente, torna os pais o centro de sua vida. Uma das queixas mais comuns ouvidas em grupos sociais de pessoas na faixa dos 20 anos é que alguém do grupo esteve ausente por um tempo por ter encontrado um novo interesse amoroso. "Desaparecido em combate" é uma expressão que se repete nessas ocasiões, para descrever como alguém se entregou inteiramente à experiência do novo amor, excluindo todos os seus antigos amigos. A emoção de se apaixonar, o impetuoso deleite de viver isso, surge, em alguma medida, da mobilização do Inocente idealista em cada um de nós. Esse é o ponto em que podemos doar em demasia e perdoar com facilidade, por supor que a outra pessoa está tão aberta, emocionada e cheia de sonhos como nós. É aqui que, ai de nós, a maioria das pessoas se machuca, porque os outros podem explorar o seu Inocente arquetípico. O melhor resultado possível é quando as duas pessoas se conhecem o bastante para se sentir seguras e permitir que seus arquétipos do Inocente venham à tona plenamente. Nessas ocasiões existe uma energia poderosa, confiante e lúdica entre elas.

Quer estejamos nos apaixonando, iniciando um novo emprego ou fazendo a nossa primeira grande aquisição, existe uma tendência para entrarmos na fase do Inocente novamente. O mundo nos diz para ficarmos vigilantes; contudo, se a nossa defesa for excessiva, o poder do Inocente não conseguirá emergir para nos abastecer. Precisamos estar, com regularidade, no estágio do Inocente – quando amamos nossos amigos íntimos e filhos, quando cuidamos deles e nos preocupamos com eles, mesmo se estiverem sendo difíceis. E é o Inocente dentro de nós que nos induz a imaginar novos mundos, onde a pobreza possa ser erradicada, onde doenças evitáveis possam ser derrotadas e onde possamos existir em harmonia. Todos os grandes movimentos humanitários nasceram com base na versão mais elevada do arquétipo do Inocente.

Uma vez que todos começamos como Inocentes, e que o Inocente representa a forma mais pura de amor e confiança que podemos ter, deveríamos tentar manter livre acesso a essa qualidade ao longo de toda a vida. Essa qualidade em nós irá crescer e se desenvolver, se nós permitirmos. Quando alcançarmos o estágio do Guerreiro-Amante, saberemos como utilizá-la outra vez mais plenamente, na condição de Inocentes, em nosso poder de dar amor, mas não meramente como Inocentes, pois nessa altura já não podemos ser magoados por aqueles que tentam nos enganar. Algumas pessoas nunca têm a chance de experimentar o estágio de Inocente. Essas são as que sofreram maus-tratos e negligência. Entretanto, quase todas as pessoas podem ser trazidas de volta a esse espaço se receberem amor incondicional e aceitação de outros que consigam acessar o seu próprio e robusto Inocente.

No quarto

É sempre difícil prever o comportamento sexual humano, uma vez que um estímulo pode produzir uma variedade de respostas e expressões, algumas das quais aparentemente contraditórias. É preciso estar atento ao que uma pessoa faz e depois tentar descobrir qual pode ser a motivação por trás desse ato.

O Inocente (pois cada vez que nos apaixonamos tendemos a ficar nessa fase) pode, de início, ser tímido e reservado mas, de algum modo, esse arquétipo pode ser o mais alegre e aberto de todos os amantes, abordando o sexo de um modo sincero e nada descartando em termos de experimentação. Infelizmente, conforme vimos, o Inocente tende a ser manipulado cruamente pelo mundo e logo aprende a arte da autoproteção; nesse processo, deixa de ser o Inocente. Pode-se dizer que é tarefa de uma vida permitir que esse arquétipo tão amoroso tenha a coragem de dar um passo à frente mais uma vez. O Inocente pode ser desperto novamente em cada um de nós quando nos sentimos seguros, quando brincar é fácil, quando não se teme nenhum julgamento. O amante Inocente ri com facilidade, fica feliz fazendo palhaçadas; além disso, ele traz uma emoção pura ao ato amoroso, livre de ansiedades. O Inocente, acima de tudo, é destemido (o que não exclui certa timidez inicial) quando se sente amado e aceito.

Em contato com a energia do arquétipo

Visto que é necessário (para todos nós) valorizar a sabedoria amorosa do Inocente, costuma ser uma boa ideia procurar uma fotografia nossa de uma época em que éramos felizes quando criança: confiantes, amados, contentes. Se alguém tiver filhos ou parentes jovens, talvez seja interessante procurar um ou dois retratos dessas crianças num estado semelhante de felicidade. Esses retratos devem ser colocados à vista, para que todos os dias possamos nos lembrar da leveza e da energia do Inocente; desse modo, poderemos restabelecer uma ligação com esse aspecto de nós mesmos. Existem também outras maneiras de trazer de volta esse período de tempo à consciência. Algumas pessoas preservam um brinquedo favorito de infância numa prateleira, para lembrar-se dessa época. Seja qual for a opção (eu tenho algumas fotos e um brinquedo numa prateleira em meu quarto, que funcionam para mim), devemos tentar nos lembrar da maravilha daquele tempo e do amor que nos envolvia. Se uma pessoa tiver tido pais problemáticos, talvez os retratos de outros parentes ajudem a imaginar-se naquela época. Quando estiver consciente desse sentimento, você olhará para as crianças de uma maneira bastante diferente. A loja de brinquedos no shopping nunca mais será a mesma!

Há outras maneiras de resgatar esse senso de deslumbramento. Observando as crianças num parquinho, mas não na condição de cuidador, ou de pai ou mãe; de preferência, apenas como um observador. Observando como elas brincam juntas. A maior parte do tempo elas estão num mundo delicioso de alegria, plenamente absortas em suas brincadeiras. Ou podemos ir a um *petshop* e observar os filhotes de cães e os gatinhos andando com dificuldade, confiantes e inofensivos. Devemos perceber como nos sentimos. É provável que comecemos a arrulhar para os filhotes, a sorrir e querer brincar com eles. Os dentinhos deles em nossos dedos não nos causarão nenhuma dor real, e os perdoaremos na mesma hora se eles nos machucarem. Imagine se fôssemos sempre gentis assim com os outros. Imagine se fôssemos assim até mesmo dirigindo no trânsito!

Um aspecto diferente do Inocente é quando vemos a total confiança com a qual as crianças se comportam com seus pais. Elas se afastam de casa com papai, segurando sua mão, totalmente confiantes de que o mundo é um lugar bom e que papai sabe aonde vai. Se nos depararmos com um pai e uma criança caminhando na rua dessa maneira, devemos parar e realmente absorver o que observamos. Quanto tempo faz que não confiamos em alguém assim? A música *Segura na Mão de Deus*,[7] embora possa não ser do agrado de todos, resgata parte desse espírito e parte de nosso anseio de sermos religados a ele. Os alpinistas, pessoas que, num sentido literal, dão as suas mãos a outras, cuja segurança depende de sua confiança e habilidade, conhecem isso de maneira intensa. Talvez seja por isso que tantos exercícios de formação de equipes envolvam cordas, escaladas e o estabelecimento da confiança. O Inocente tem um profundo senso de confiança que alguns de nós, na verdade, iremos pagar para resgatar. Será possível vê-lo em toda parte à nossa volta, se prestarmos atenção.

Nossa disposição para ver a alegria, a energia e a confiança das crianças, ou de filhotes, é um caminho de reativação da energia de um arquétipo dentro de nós, que podemos ser tentados a desconsiderar simplesmente porque, ao que tudo indica, no mundo que conhecemos não existe espaço para uma criatura dessas. Nós precisamos criar esse espaço.

O Inocente no Tarô

Antes de deixarmos para trás este arquétipo, precisamos examinar de perto a imagem do Tarô que parece refletir esse estágio, já que ela pode proporcionar algumas ideias valiosas. Durante séculos, o Tarô tem sido considerado uma maneira de apresentar, em termos visuais, diversos aspectos de situações humanas, algumas das quais altamente complexas. Dentro dos principais arcanos do Tarô, veremos representações de todos os seis arquétipos, na ordem precisa em que estão sendo considerados aqui, embora sejam retratados de um modo um pouco diferente.

A carta que melhor parece evocar o Inocente é chamada O Sol, de número 19 nos Arcanos Maiores. No baralho do Tarô Waite, a imagem é de uma criança nua, sem medo, montada em um cavalo, mãos estendidas, enquanto o Sol arde por trás dela. O que impressiona qualquer observador é a combinação de imagens de força – o enorme Sol com um rosto humano – e a imagem de fragilidade vista na criança e nos girassóis. Talvez isso seja uma alusão à abertura, força e simplicidade que nós vemos no Inocente. Nenhuma outra carta de Tarô mostra uma criança com tanto destaque, por exemplo. De fato, existem muito poucas crianças no Tarô. Talvez essa seja uma imagem que podemos ter em mente para nos ajudar a sentir o significado desse estágio.

Às vezes essa carta é vista como a que "indica sobretudo a esperança de um futuro melhor", segundo a autora de guias de tarô Hali Morag.[8] Isso pode parecer uma boa descrição do Inocente, como o primeiro na série de estágios importantes. Mas existe mais. Outras cartas que a circundam ajudam a explicá-la.

O número 20 no baralho é "O Julgamento", que mostra um anjo anunciando o Dia do Juízo Final, ao passo que o número 21 é "O Mundo", que mostra a figura de uma mulher nua segurando dois bastões, dançando em uma grinalda de flores. Considere essas imagens por um momento. O Dia do Juízo Final anuncia o fim do mundo e de todas as coisas mundanas; portanto, parece adequado que essas duas cartas estejam lado a lado, formando um contraste. A última carta (geralmente de número 0, mas às vezes 21; nesse caso, o Mundo se torna a carta 22) é O Louco. O Louco sempre foi considerada uma carta poderosa, mostrando um jovem homem abstraído dos processos racionais costumeiros que esperamos. Ele segura, de maneira descuidada, o que parece ser uma bolsa valiosa na ponta de seu bastão, olha para cima, para o céu, caminha em direção a um precipício, e parece estar ignorando o cão ao seu lado. Como podemos ver no *Rei Lear*[9] de Shakespeare, o louco, ou bobo da corte, é a pessoa da qual podemos rir e a quem podemos ridicularizar à primeira vista, mas também é aquele que diz a verdade, que não aceita os valores do mundo material e que parece em maior sintonia com o eterno. Shakespeare refere-se muitas vezes à ideia de um "louco sábio", que não é o mesmo que "natural" ou mentalmente defeituoso. Para Shakespeare, o louco sábio é uma figura poderosa, alguém alerta o suficiente para não ser enganado pelos outros e que, em alguns casos, pode fazer profecias.

Se tomarmos essas quatro cartas conjuntamente, poderemos ver que O Mundo é o oposto de O Julgamento, e que O Louco é a versão irresponsável do Sol. O agrupamento dessas cartas sugere que a força existente no Inocente não é acidental. Ela depende de uma noção de equilíbrio entre este mundo e o próximo, bem como de uma sensação de enraizamento no aqui e no agora que o Louco não é capaz de atingir. Conforme vimos, um bebê pode saber sobre o amor, mas é indefeso. A criança da carta do Sol não está desamparada. Ao contrário, está montando um cavalo e, pela posição dos braços, parece que está tentando se equilibrar. Isso sugere que a força do Inocente nunca é apenas instintiva, mas que requer equilíbrio, uma vez que é a aplicação consciente do poder da confiança e do amor. É um poder que não está preocupado demais com este mundo, ou o próximo, e que permaneceu sadio. Essa é a confiança da criança de correr riscos; como se ela estivesse dizendo: "Olha, mamãe, sem as mãos!". Nesse sentido, o Inocente não teme julgamentos.

Notemos que as figuras na carta do Julgamento também não parecem estar com medo; em vez disso elas estão com os braços bem abertos para saudar a nova era. Elas são as almas virtuosas, inocentes de culpa, indo para o céu. Se a carta O Julgamento representa o alvorecer da nova era celestial, também se deve considerar que a carta O Mundo comunica um tipo diferente de vida nova, uma vez que a guirlanda de flores tem uma forma vaginal e circunda uma figura feminina jovem e nua. Essa carta pode bem ser uma imagem de fertilidade, com toda a promessa de novas vidas à frente.

Com o risco de reduzir as cartas a significados muito básicos, é possível dizer que elas nos contam que em nossa vida devemos descobrir quem somos entre este mundo (O Mundo) e o próximo (O Julgamento), e que nossas qualidades Inocentes devem ser reconhecidas e usadas de maneira intensa e focada, conforme retrata a carta O Sol, e não de forma dispersa, conforme retrata a carta O Louco. Isso é coerente com todas as nossas reflexões até agora. A criança não amada tende a ser assustada, e onde existe medo não pode haver confiança verdadeira; e sem confiança, não pode haver aprendizado ou crescimento. A carta do Sol mostra a criança aprendendo a cavalgar e representa um estágio de crescimento pessoal e confiança em si próprio.

As três cartas que circundam O Sol são, ao que tudo indica, cartas que ajudam a esclarecer o que devemos entender acerca do Inocente. É evidente que o Tarô tem diversas interpretações possíveis; não obstante, parece haver uma ressonância entre esse arquétipo e o que vemos nas cartas dos Arcanos Maiores, cujos ecos certamente podemos descrever como sugestivos. Essas quatro cartas estão na parte inferior do baralho dos Arcanos Maiores, todas reunidas, e, portanto, servem como um ponto de partida: aquilo que o Inocente é. Como veremos, haverá muito mais correspondências e ressonâncias conforme prosseguirmos através dos seis estágios, e as cartas no baralho do Tarô as refletem e acompanham ao longo do caminho.

Notas

1. *O Resgate do Soldado Ryan,* dirigido por Steven Spielberg, estrelando Tom Hanks e Tom Sizemore, 1998.

2. *A Course in Miracles,* nenhum autor determinado, The Foundation for Inner Peace. (Nova York: Penguin, 1996).

3. Eckhart Tolle, *The Power of Now: A Guide to Spiritual Enlightenment* (Novato CA: New World Library, 1999). Ver também o seu *A New Earth: Awakening Your Life's Purpose* (Nova York: Plume, Penguin, 2005).

4. Frederick Buechner, *Now and Then* (HarperSanFrancisco, 1985), p. 20.

5. Jesus, em Mateus 18,3. "Em verdade vos digo que, se não vos converterdes e não vos tornardes como as crianças, de modo algum entrareis no Reino dos Céus."

6. *The Girl Without Hands* é o conto 31, em *The Complete Grimm's Fairy Tales*, trad. Margaret Hunt (Nova York, Pantheon Books, 1944, revisado em 1970), pp. 160-65. Comentários fornecidos nesse volume por Joseph Campbell.

7. *Put Your Hand in the Hand* [*Segura na Mão de Deus*]. Esse hino do Evangelho foi escrito por Gene MacLellan e popularizado pela banda *Ocean* com seu disco em 45 rotações que vendeu um milhão de cópias em 1971.

8. Hali Morag, *The Complete Guide to Tarot Reading* (Astrolog, 1998), p. 48.

9. A figura do louco sábio aparece em *King Lear, Twelfth Night, As You Like It* e numa versão diferente em *Hamlet,* para mencionar apenas os exemplos mais óbvios.

Capítulo 5
Amor Órfão

O Órfão está numa posição diferente em relação ao Inocente, e sabe disso. O amor sentido de modo natural pelo Inocente foi ameaçado, talvez completamente destruído. Essa sensação nem sempre é acentuada; por exemplo, é comum o Órfão sentir que não pertence à unidade familiar, conforme ele cresce. Essa é a época em que as crianças sentem tão pouca ligação com as coisas que parecem interessar aos pais que olham para eles esperando que de fato tenham sido adotadas. Essa é uma parte natural do crescimento, uma vez que os acordos que funcionaram para a criança devem ser reajustados por volta dos 11 anos, e às vezes antes. Em algumas ocasiões, o resultado disso pode ser que a criança duvide que seja amada, ou digna de amor, sentindo isso como um conflito. Como ela pode precisar tanto e ser tão dependente de pessoas que parecem não saber quem ela é? Por que essas pessoas dão de presente um celular e depois ficam tão zangados com a conta? Será que não sabem como é importante para ela o contato com os amigos? Assim, a rebelião e o desejo de se amoldar são dois fios da mesma lâmina.

Os adolescentes às vezes consideram essa situação quase impossível e podemos aprender muito observando a situação deles. Os pais querem que eles sejam uma coisa; os professores da escola querem que sejam algo um pouco diferente; os treinadores querem que eles se concentrem no jogo *primeiro*; e seus colegas querem e precisam deles para formar "tribos". O poder de persuasão desses grupos é imenso e provoca sentimentos poderosos. Ao se deparar com todas essas demandas para ser de determinada maneira, o adolescente faz escolhas. Ele participa de uma tribo, um clube, uma gangue e se apega a essa identidade como um dos aspectos de real importância em sua vida. Talvez isso seja codificado geneticamente. Talvez nossos ancestrais tivessem de se reunir enquanto adolescentes porque, embora os adolescentes tendam a correr riscos, quanto maior o número deles em um local, melhor a sua chance de sobreviver até que possam se reproduzir.

Esse apego ao "pensamento do grupo" pode não parecer amor, mas os adolescentes envolvidos muitas vezes parecem prontos a se agrupar em circunstâncias arriscadas; às vezes estão prontos para morrer uns pelos outros, como anunciam nossos jornais de maneira bastante regular. Então talvez não seja, de fato, amor, tanto quanto uma necessidade desesperada de pertencimento. Contudo, parece muito com amor.

Os adultos podem sentir-se da mesma maneira em relação à vida; eles precisam do emprego, mas o detestam; eles lutaram para construir uma carreira na qual não acreditam mais; eles se empenharam no casamento, contudo não sentem que as coisas vão bem, ou não expressam, de alguma maneira, a totalidade de suas necessidades.

Esse é o domínio do Órfão e alguns de nós passaremos muitos anos nesse estágio tentando nos ajustar da melhor maneira possível. Se tivermos êxito, alcançaremos o estágio equilibrado desse arquétipo, com a compreensão de que o mundo está longe de ser perfeito, mas que devemos seguir adiante e fazer o melhor possível. Os Órfãos equilibrados do nosso mundo geralmente são pessoas amorosas e devotadas, com frequência nas profissões de ajuda, de medicina ou trabalho social, e o nosso mundo depende deles. Os Órfãos que não atingem esse senso de equilíbrio tendem a se sentir descontentes, às vezes ansiando pela próxima nova aquisição que os tornará completos; todavia, sempre acabam um tanto desapontados, uma vez que uma sensação de completude não é algo que se possa comprar. A versão mais triste do Órfão desequilibrado é a pessoa que acredita que alguém virá para amá-la e salvá-la, tornando-a feliz. Uma vez que ninguém pode nos fazer felizes (temos de fazer isso por nós mesmos), é inevitável que essa figura se desaponte.

Com a finalidade de evitar essa sensação de descontentamento, o Órfão geralmente julga necessário selecionar um grupo ou um contexto ao qual pertencer. Uma vez que o Órfão procura um "lar" que o adote, as pessoas que entram nessa fase podem exibir extrema lealdade a seu local de trabalho, seu lar e seus círculos sociais.

Companheiros de quarto na faculdade, amigos do internato, recrutas em treinos básicos, aqueles que frequentaram a mesma escola de nível fundamental e médio – todos eles se sentem ligados por um vínculo que raramente é igualado por outras amizades. E não se deve subestimar isto: os Órfãos sabem como fazer amigos. Pois esta é a força básica do senso de amor do Órfão – ele vai fundo e é uma resposta à profundidade da necessidade que o inspirou. Mas por se originar na necessidade ele é, no fim das contas, geralmente um produto do pensamento convencional. Assim, para o Órfão, o ser amado pode muito bem ter de preencher certas expectativas, que são em grande medida aquelas do grupo social pelo qual o Órfão concordou em ser adotado. Espera-se que os amigos façam as mesmas coisas da mesma maneira. E quando se trata de eventos públicos, a pressão é maior ainda. O baile de colégio, a dança, até mesmo o casamento deve ser de determinada maneira, talvez; o anel deve ser de um tipo, ou tamanho, específico, e o ser amado deve ser aceitável pelo grupo particular que for mais valorizado. Esse grupo pode ou não incluir pais e parentes, mas seus ditames serão poderosos.

O *reality show* da TV, "Bridezillas"[1] ou "Noivas Neuróticas", no Brasil, é um lembrete esplêndido e desagradável disso, uma vez que mostra noivas preparando-se para os seus casamentos e tendo ataques nervosos em relação às coisas que, a seus olhos, não estejam perfeitas. Os guardanapos foram dobrados da maneira errada? Ataque de fúria! Há lírios em demasia entre as flores? Cuidado com a explosão da raiva! O público de TV é encorajado a ver essas mulheres desvairadas como monstros, temporariamente insanas e sem dúvida candidatas improváveis à felicidade eterna. Elas são, de fato, apenas Órfãs, que temem ser julgadas por outros Órfãos, e que internalizaram essa noção construindo o ideal do que "deveria" ser. O medo de julgamento pelos pares é um desafio particular para o Órfão, e as altas classificações de TV parecem sugerir que as pessoas em geral não têm problemas em sentir empatia por alguns aspectos de seu comportamento.

O Órfão tende a fazer escolhas avaliando as qualidades externas, em primeiro lugar; ele tenta alcançar as qualidades internas apenas com algum medo e relutância. As crianças, típicas órfãs, do internato que eu frequentava na Inglaterra quando jovem, se ligavam umas às outras de maneira desajeitada, porque todos nós nos sentíamos abandonados, de alguma maneira. Isso era justamente o fato que nenhuma de nós admitia. Então agíamos com bravata, tentávamos mostrar que nada nos preocupava, mas no fim as pessoas com quem nós sabíamos que deveríamos nos entrosar eram os colegas que nos aceitavam, pelo menos naquele momento.

Como um resultado direto, o amor Órfão pode ser incondicional; ele pode parecer uma fé cega. O jovem que entra numa gangue pode não estar expressando uma necessidade muito diferente do que a mulher que entra nos Fuzileiros Navais. Ambos querem pertencer. Ambos querem prestígio e ambos querem respeito, conforme as definições de alguma outra pessoa. Essas são pessoas que jogam segundo as regras de seus grupos, que ajudam o seu mundo a funcionar de uma maneira previsível. O amor delas (porque se trata de amor) está baseado na necessidade profunda de segurança de um sistema. Para obtê-lo, elas irão suprimir muitas de suas qualidades e sentimentos naturais.

Este amor, de certo modo, não foi testado. Testá-lo levaria a perguntas, e as perguntas levariam a uma reavaliação.

Os desafios do Órfão:
Ressentimentos

O ponto de mudança para o Órfão que deseja crescer é permanecer consciente de que esse apego amoroso, esta versão do altruísmo, protegida e interessada apenas em si, não é a expressão última de quem ele pode ser. Pois os Órfãos tendem a se aferrar à identidade que construíram. Em consequência, os Órfãos têm dificuldade de perdoar os outros, já que seu senso de identidade é tão frágil que, quando são magoados, sentem necessidade de se agarrar firmemente às feridas e se lembrar delas. Sem suas mágoas e perdas, ficam temerosos de quem são, e abrir mão das mágoas é o significado do perdão. O perdão envolve dissolver o senso de afronta pessoal, ao qual nós todos tendemos a nos agarrar, e para um Órfão esse sentimento de orgulho baseado no ego é muito forte. O Órfão sempre achará mais fácil se aferrar a um ressentimento do que abrir mão dele. Construir ou descobrir uma identidade autêntica é algo que os Órfãos nem sequer imaginam fazer; por esse motivo, eles geralmente nutrem um estado de mágoa. A cura pode ser difícil para a maioria de nós quando estamos no estágio de Órfão.

Caso se sinta incapaz de abrir mão de ressentimentos ou antigas mágoas (e quem de nós não tem algumas delas?) considere a si mesmo um Órfão temporário nessa parte de sua vida. A tarefa então é imaginar quem você poderia ser, caso deixasse essas antigas mágoas de lado.

É muito fácil enredar-se numa condição de vítima. Trabalhei com uma jovem, formada por uma conceituada universidade, que não se libertava das mágoas sofridas na mão de seus pais, relativamente saudáveis. Para encontrar seu próprio senso de identidade de jovem adulta, ela julgou necessário rejeitar certos aspectos da fé religiosa dos pais, havendo se tornado uma Órfã em relação aos valores deles. Por algum tempo, o alento necessário veio de suas amizades na universidade, mas à proporção que as pessoas se afastavam para iniciar a própria vida, ela se via cada vez mais só: vivia ainda uma vida de "estudante" e trabalhava como secretária, na estrutura administrativa de uma universidade local. Ela havia iniciado o trabalho de estabelecer a própria identidade (ao se rebelar e deixar para trás as crenças de seu lar), mas então viera a estagnação e a dificuldade de continuar a busca pela identidade própria. Culpava sua falta de habilidade para superar a "infância atrapalhada", conforme a descrevia. Quanto mais fazia isso, mais se fortalecia a sua identidade de vítima. E enquanto estimulava essa sensação de indignação e mágoa, ela tinha a convincente desculpa de que a maneira desfavorável de ter sido tratada (quando criança e jovem adulta) a havia impedido de crescer. A sua identidade de Órfã transformara-se num refúgio para suas necessidades, no lugar de ser um estágio a ser superado.

Em geral, isso não seria um problema. Muitos Órfãos encontram uma identidade e amigos de mentalidade afim que fazem parte dela. Eles vivem a vida com relativo sucesso, dentro do espaço que escolheram, sendo capazes de encontrar uma felicidade respeitável. Assim, os Órfãos podem viver vidas produtivas e gratificantes. No caso dessa jovem mulher, o que vi foi a infelicidade de sua experiência presente. Ela sabia que a vida oferecia mais, mas temia se afastar das defesas construídas com tanto cuidado e tempo. Pior ainda, do meu ponto de vista, era que a sua inteligência considerável permitia que ela encontrasse motivos abundantes e convincentes para não mudar nada. Mudar de seu apartamento era um grande trauma para ela. Mudar do emprego, um emprego que ela odiava, parecia impossível; ela estava à vontade demais queixando-se sobre as coisas para ser capaz de mudar e buscar uma realização genuína.

Ela havia me procurado buscando mudanças, mas não conseguia, de fato, encarar o que significava mudar. Minha tarefa era encorajá-la a sentir que, qualquer que fosse a sua escolha, mudar ou não mudar, seria uma escolha própria. Não creio que tenhamos obtido sucesso em relação a isso. Ela tinha tantas defesas que não conseguia ver esse ponto. Em quase todas as sessões, ela criava ainda mais um exemplo de como alguém havia "feito" algo, que a forçava a reagir; no entanto, ela era incapaz de encontrar uma resposta adequada. O padrão estava claro para mim, mas não, infelizmente, para ela. Se lhe fosse possível ver que ela tinha alguma responsabilidade por certas coisas em sua vida, ficaria claro que outras coisas também poderiam estar sob seu controle; mas isso significaria que ela era responsável pela própria vida, o que ela não conseguia enfrentar.

Não existe nada de errado com esse modo de ser. Essa jovem mulher tinha necessidade de ser uma Órfã; contudo, ela via os amigos avançando na vida e sentia que eles a julgavam. Em vez de fazer uma avaliação própria, ela os tomava como exemplos e julgava a si mesma como deficiente. Era incapaz de avançar, mas agora isso lhe causava um sentimento de culpa; portanto, não conseguia sentir paz em seu status de Órfã. Assim, ela acabou se tornando uma Órfã infeliz, sentindo-se aprisionada, culpando as outras pessoas (sempre culpando os outros) e arruinando todos os encantos reais de nosso mundo maravilhoso.

Esse exemplo pode parecer extremo, mas na verdade não é. É extremamente comum. Quando Thoreau descreveu que seus concidadãos do Commonwealth de Massachusetts viviam "vidas de um desespero quieto",[2] creio que ele se referia a algo semelhante, e algo muito predominante em qualquer momento da história. Pois o fato parece ser que a identidade de Órfão pode nos dominar, de maneira que não conseguimos sentir a força que realmente temos e, portanto, não podemos mudar ou crescer.

Então, o que isso tem a ver com o amor?

O Órfão que permanece mais apegado a influências externas do que a um senso de autenticidade interno não conseguiu amar a si mesmo em primeiro lugar. Ele ama a si mesmo, em alguma medida, mas coloca em primeiro lugar as demandas do grupo, da ortodoxia. Assim, o fracasso em se afastar do *status* de Órfão é de fato um déficit de amor e de uma crença na natureza vital desse amor. O que precisamos concluir disso é que os Órfãos, ao não conseguir amar a si mesmos em primeiro lugar, não conseguem atingir uma coragem interna real. Isso não significa que eles não conseguem mostrar bravura; eles defenderão com veemência o *status quo* existente, e às vezes ficarão furiosos se lhes for solicitado que abram mão de seu amado sofrimento. Entretanto, isso é muito diferente de amar a si próprio, conhecer a si próprio e insistir em ser o que se é. Os órfãos, portanto, às vezes se apegam a situações que resolvem o problema imediato do amor e necessidade de pertencer, mas ao custo de não oferecer uma real possibilidade de desenvolvimento.

Um exemplo que surge na mente é a personagem de Bree em *Desperate Housewives*.[3] Essa é uma personagem que todos amamos odiar; não obstante, todos nós encontramos exatamente esse tipo de pessoa, alguém que, de forma resoluta, se aferra à ordem, às aparências e ao controle, não importa do quê. Ninguém que conhece esse seriado irá esquecer de Bree atrasando o funeral de seu marido para mudar a sua gravata, antes de o caixão ser fechado; ela substituiu a gravata laranja e verde, da escola preparatória, colocada pela mãe de Rex, por uma gravata solicitada por ela a alguém da congregação. Ela mostra uma coragem considerável ao fazer isso: coragem inútil, já que seu marido será enterrado nos minutos seguintes. A aparência é importante para ela. A ação é estranha, mas parece verdadeira em um sentido geral, como uma representação de todas aquelas pessoas que colocam as aparências antes de tudo. Esse é o desejo do Órfão de se adequar, um desejo que se repete em outras personagens do seriado. A maioria das personagens nesse seriado parece se comportar como Órfãos na maior parte do tempo, uma vez que sua ação é voltada apenas para si mesmas e para seus objetivos limitados de ganhar prestígio ou supremacia sobre seus vizinhos. Elas brigam e disputam, e seus filhos recorrem a comportamentos perturbados, o que parece surpreendê-las.

Vamos considerar uma situação mais extrema: numa gangue, a identidade do grupo é tão forte que qualquer pessoa que tente sair é considerada desleal, às vezes servindo apenas para ser morta. A Máfia impõe a lealdade até a morte e é interessante que o lema do Corpo de Fuzileiros Navais, *Semper Fidelis,* significa "sempre fiel". Isso é um reflexo de um tipo semelhante de apego: uma vez Fuzileiro sempre Fuzileiro, é o ditado, e a "aceitação" é uma fonte de tremendo orgulho para esses servidores.

Esse apego a algum tipo de ortodoxia, seja um grupo socialmente aceitável, um grupo religioso, seja um grupo criminoso, existe em nossa sociedade há muito tempo. É evidente que todos esperamos que as adoções mais produtivas prevaleçam; contudo, todos esses são, de um modo básico, apenas diferentes expressões do mesmo impulso. O que podemos querer compreender é que essa não é a única maneira de viver.

Os Órfãos nem sempre parecem demonstrar a expressão mais elevada de amor e lealdade, contudo de modo algum eles devem ser desconsiderados. Essas são as pessoas que lutarão pelo seu amor, sua pátria e suas crenças, mesmo se isso significar destruir as coisas que amam, no processo. Quando alguém ameaça as coisas que estimamos, todos nós tendemos a nos tornar Órfãos em nosso pensamento, tentando cumprir nosso dever de proteger o modo de vida que apreciamos. Podemos nos espantar com essa devoção poderosa e temer nossa relutância de questionar o que é que estamos fazendo.

Enquanto cidadãos que se preocupam com sua sociedade, os Órfãos serão muitas vezes excelentes organizadores de programas para a comunidade e pessoas profundamente decentes e confiáveis. São o que mantém a sociedade estável e, dentro de cada um, existe a possibilidade de uma figura emergente, cujo empenho é ainda mais vital no crescimento espiritual.

Então, o que mantém um Órfão como Órfão?

Em alguma medida, mero hábito. Todos os outros parecem estar fazendo o mesmo, e ser diferente nos faz sentir um pouco loucos. A grande questão, entretanto, é o ego. O ego é construído quando recebemos as mensagens que o mundo externo nos envia sobre quem nós somos; na escola fundamental, aprendemos que não somos tão altos como Sally, não conseguimos pintar tão bem quanto Billy e que somos melhores pegadores que Ivan. Assim, permitimos que os outros nos digam quem somos, em vez de confiar em nossos processos internos conforme eles se desenvolvem. O Órfão aceita esse diagnóstico, enquanto o Peregrino irá questioná-lo.

Desafios adicionais:
A armadilha do pensamento do Órfão

Os Órfãos estão a nossa volta, e muitos deles são pessoas decentes, talvez até sejam bons amigos nossos. Em certa medida, todos nós aceitamos o estágio do Órfão, já que concordamos em aceitar as regras de nossa sociedade e desejamos continuar a fazer parte dela. Ao descrevermos os Órfãos aqui, estarei tentado, enquanto escritor, e você, enquanto leitor, a ver as coisas do modo como o Órfão vê nosso mundo. Afinal, todos nós fomos Órfãos, por mais que estejamos em outro estágio agora, e sabemos bem demais como racionalizar a situação.

Se você estiver lendo este livro, talvez já seja um Órfão descontente, ou um Peregrino que está buscando respostas diferentes e melhores. O importante é não retroceder para a visão de mundo sedutora do Órfão, mas ultrapassá-la. Pois o modo de pensar do Órfão está à nossa volta, todos os dias, tentando nos fazer voltar a uma existência limitada.

O mais importante a lembrar sobre o estágio do Órfão é que este é uma forma de comportamento sancionado pela cultura e causado pela preguiça ou pelo medo (que são características ligadas), abastecidos pelas mensagens enviadas pelo ego. É o ego que nos diz que devemos comprar o mais recente acessório, que nos fará sobrepujar todos os vizinhos, e isso nos deixará contentes. É o ego que insiste que estarmos com a razão é melhor que sermos amorosos, abertos e tolerantes. É o ego que deseja demonizar as minorias ou aqueles com outras crenças, de modo que nos sentimos mais iluminados, mais corretos. O ego nos diz que somos pequenos e insignificantes, a menos que nos afirmemos em relação aos outros. Obtenha aquela promoção! Esta empresa é para os vencedores, não para os perdedores! Todavia, na verdade, se alguém obtiver sucesso a custa da *perda* de uma outra pessoa, não existem vencedores. Se focarmos apenas naquilo que pudermos atingir dentro de uma esfera de ação aceita, estaremos, na verdade, limitando a nós mesmos e tornando-nos pequenos em vez de grandes. Eu testemunhei lutas amargas pelo cargo de direção em organizações minúsculas, táticas corruptas de campanha na candidatura à presidência do clube de golfe local, e tive de me perguntar se uma vitória tão pequena realmente requer um esforço tão implacável. Essa é a crença do ego em nossa própria pequenez, e ele nos mantém agindo conforme os padrões, nas quais confortamos a nós mesmos com a sensação de grandeza, embora temendo o contrário. É uma perspectiva míope e pouco saudável.

Pois nós não somos pequenos. Estamos todos crescendo, se deixarmos isso acontecer, e é somente o medo de não sermos amados que nos mantém sentindo pequenos. Se realmente nos *sentíssemos* dignos de amor, não perderíamos tanto tempo tentando melhorar nossa aparência para que outros nos admirassem e, talvez, amassem. Se conseguíssemos amar a nós mesmos, plenamente, não julgaríamos tão atraente o estágio do Órfão e suas recompensas seriam pouco tentadoras para nós.

Para crescer temos de sair dessa pequena caixa familiar e amigável, seja o nosso lar, nossa cidade natal, nossas pequenas expectativas para nós mesmos, seja um relacionamento limitante que pede que calemos quem nós somos. Essa é a maneira de rejeitar as restrições espirituais do Órfão. Os Órfãos são como pássaros engaiolados, mestres de seu domínio, que cantam lindamente e trazem alegria; contudo, não conseguem sair da gaiola, não conseguem identificar alimentos no deserto e não podem sobreviver por conta própria. Observemos como aquelas pobres personagens de *Desperate Housewives* nunca parecem deixar Wisteria Lane por muito tempo. Quando o fazem, parece que retornam apenas para tentar dormir com o cônjuge de outra pessoa. Elas continuam jogando o mesmo jogo. É quase como se não conseguissem suportar o afastamento, porque então seriam incapazes de zombar uns dos outros.

O Órfão é a fonte de todas as crenças limitantes, todas as ambições pequenas. É o garoto ou garota vizinha que vai se casar e ser uma boa esposa e mãe (ou pai), mas com quem o Peregrino se sentirá aprisionado. Há muitos exemplos desse tipo de pensamento limitado. Quem não conhece uma pessoa que tem um relacionamento com um ou outro progenitor que parece interferir em sua vida emocional? A mulher que tem a mãe como sua melhor amiga, e que parece estar constantemente envolvida na vida doméstica dos pais, pode ter saído de casa, mas nunca, na verdade, terá saído de casa. Ou o homem cuja mãe cuida dele tão bem que nenhuma outra mulher pode se aproximar, portanto, ele nunca se casa. Uma pessoa assim geralmente está bastante satisfeita e não deixa espaço para que alguma outra pessoa, alguém novo, entre em sua vida e, portanto, nenhum grande crescimento será possível.

O Órfão é também a figura mais provável de manifestar avidez física ou possessividade, uma vez que, quando nossa identidade egoica está fixada nas coisas que possuímos, qualquer pessoa que se iguale a nós é vista como uma ameaça a nossa existência, ou seja, um rival em potencial e um inimigo. Ciúmes, comportamento controlador, o desejo de limitar a pessoa amada, de desaprovar o progresso pessoal do ser amado – são todas expressões extremas, mas coerentes, do medo do Órfão, e é o medo que limita o amor. Nos relacionamentos onde um dos parceiros é controlador, ou até mesmo abusivo, o impulso vem, geralmente, do sentimento da pessoa dominante de que o outro não pode ter acesso a nenhuma liberdade de expressão, por medo que ele ou ela explore isso e parta. Ao temer a perda do ser amado, o próprio amor é destruído.

A maior parte do mundo é composta de Órfãos convencidos de que não existe outro modo de ser. Isso pode ser extremamente perigoso, uma vez que os impulsos mais nobres e amorosos podem, muito facilmente, ser canalizados em uma ortodoxia restritiva e opressiva. Tanto os fundamentalistas islâmicos quanto os cristãos realmente acreditam que estão fazendo a coisa certa e que suas ações estão em sintonia com a vontade de Deus, tal como foi passada a eles por outros. De fato, partes da Bíblia e do Alcorão fazem afirmações definitivas, mas até mesmo uma leitura sem método do conjunto de cada uma das obras revelará contradições, que exigem que o leitor pense um pouco antes de decidir.

O estágio do Órfão é, portanto, ao mesmo tempo o estágio mais perigoso e o estágio mais auspicioso, uma vez que o ato de se afastar das perguntas e recolher-se na ortodoxia ao menos é um reconhecimento de que as perguntas existem, mesmo que seja uma recusa do envolvimento com elas.

Enquanto Órfãos, tendemos a internalizar as mensagens que o grupo ao qual pertencemos nos envia sobre nós mesmos. Adotamos essas mensagens, o que é uma grande perda, especialmente na medida em que algumas das mensagens não são nem ao menos verdadeiras. Não dá nem para contar o número de estudantes que me confessaram ter ouvido de seus professores, pais e psiquiatras que nunca se formariam no ensino médio. Em geral eles me contaram isso ao se graduar na faculdade. Contudo, durante anos acreditaram que essa versão malsucedida de si mesmos era a única representação verdadeira de quem eram; assim eles lutavam com a própria noção de sucesso, sofrendo com a baixa confiança em si mesmos e recusando-se a aceitar as suas verdadeiras realizações. Em alguns casos, eles de fato se sentiram mais confortáveis com o fracasso do que com o sucesso, tão forte era o sentimento que haviam internalizado.

Quando acreditamos na visão de outras pessoas a respeito de quem somos, tendemos a parar de ser o nosso eu autêntico. O medo do ridículo perante os pares é profundo. Perguntemos a qualquer homem que "não dança" em uma festa e veremos o que quero dizer; contudo, qualquer criança de três anos irá dançar, de maneira espontânea, sem se importar com quem está olhando.

O ego não é de todo mau, é evidente. Nós o construímos ao descobrirmos quem somos realmente, uma vez que ele nos permite desenvolver uma noção de nossas qualidades, do que gostamos e o que gostaríamos de fazer. Infelizmente, esse ego recentemente construído pode ser subvertido de maneira muito fácil, de modo que agimos a partir de um medo do julgamento e paramos de acreditar que somos aceitáveis e amáveis por ser exatamente quem somos. Começamos a acreditar que nos tornaremos aceitáveis apenas se fizermos o que a cultura demanda de nós. E assim os Órfãos adotam comportamentos muito estranhos, porque no lugar onde vivem essa conduta é a norma.

Pontos a considerar

Ser um Órfão é uma resposta racional a um mundo difícil. Tem perfeito sentido. Mas isso pode se tornar uma prisão imposta a nós mesmos.

Os Órfãos serão excelentes em identificar aqueles que estão desorientados e lhes dar as boas-vindas. Os "Meninos Perdidos do Sudão",[4] milhares dos quais foram forçados a fugir por causa da guerra civil, cuidaram uns dos outros durante a sua terrível provação; e os "Meninos Pescadores de Gana",[5] que eram, para os devidos efeitos, escravos, viam seus companheiros sofredores como irmãos, quer fossem, quer não realmente aparentados. De maneira semelhante, os Órfãos no restante da sociedade se associam para estabelecer conexões significativas uns com os outros, e conseguem ser generosos e amorosos de uma maneira inspiradora. Não obstante, permanecem limitados por sua noção de serem o que são porque o ego impede a sua livre expressão, exigindo um ajustamento. Talvez essa seja a origem daquelas crises de meia-idade sobre as quais ouvimos falar – o Órfão finalmente se liberta, embora às vezes passe para uma nova fase, ainda mais convencional. O banqueiro impassível que compra uma Harley e faz uma tatuagem é um desses clichês; e existem diversos clichês à nossa volta. Um papel foi rejeitado apenas para que o indivíduo mergulhe num outro papel, do mesmo modo limitador.

A sociedade depende dos Órfãos, pessoas que agem de acordo com as regras e que se importam com o que os outros pensam. Gauguin pode ter se refugiado no Taiti para pintar quadros imortais, mas o que dizer da esposa e filhos que ele deixou para trás? Em geral, as condenações dos Órfãos em relação àqueles que deixaram suas posições têm algum valor real. Lembremos das famosas palavras do vencedor do Prêmio Nobel William Faulkner: "Se um escritor tiver de roubar a própria mãe, ele não hesitará. A 'Ode sobre uma urna grega' vale qualquer número de velhas senhoras".[6]

Palavras fortes, no entanto quem entre nós seria capaz de roubar a mãe sem uma pontada de culpa? Que tribunal defenderia as alegações do artista contra uma condenação por roubo? No entanto Faulkner não deixa de ter alguma razão.

Na condição de Órfãos – pois todos nós passaremos por esse estágio – obtemos muitos convites para explorar a vida, e a tendência é rejeitar todos eles, considerando-os desorganizadores demais de nossos próprios valores. Por exemplo, na casa dos 20 ou 30 anos, podemos descobrir que ter filhos nos lança para uma nova noção do significado do amor. O assombro da paternidade e maternidade, e a consequente mudança na relação com nosso parceiro, força-nos a perceber que já não mais temos o tempo para os aspectos reconfortantes da vida. Nossos próprios pais podem se envolver com os seus netos, e podem oferecer conselhos bem-vindos ou interferências, ou até um misto dos dois. Sem dúvida, a nossa vida pode parecer que não nos pertence mais, e nossa definição do significado do amor se aprofunda. Como resposta, podemos nos sentir como parte de uma sociedade mais ampla, o que realmente somos; sabemos que somos partes dela na medida em que levamos nossos filhos à escola e conhecemos os pais de seus amiguinhos, e assim por diante. Isso oferece muitas oportunidades de exploração de nossas possibilidades. O crescimento pessoal está à livre disposição, não obstante existe também a tentação de se adequar e fazer o que os outros dizem que deveríamos fazer. É assim que nos tornamos Órfãos novamente.

Algumas pessoas não ficam nesse espaço convencional. Elas indagam sobre o caráter dessa experiência mesmo antes de se envolverem com a vida familiar, e refletem sobre o significado que o amor poderia ter. Então começam a explorar e se tornam Peregrinos.

No quarto

Como acontece com qualquer desses arquétipos, os comportamentos podem ser contraditórios mesmo sendo motivados pelo mesmo estímulo e, com isso em mente, podemos fazer diversas afirmações gerais sobre o Órfão.

O Órfão tende a valorizar o sexo e o ato amoroso por suas qualidades tranquilizadoras. O sexo pode ser visto como um conforto, como segurança, e é necessário que ele seja razoavelmente regular, até mesmo previsível. Com isso, não sugerimos que o amante Órfão não queira experimentar novas maneiras de fazer amor e sentir prazer físico, mas a ênfase encontra-se na atração física e na realização, em vez da satisfação espiritual ou emocional. Um Órfão quer se sentir desejado, receber prazer e quer saber se, no que diz respeito ao parceiro, ele (ou ela) é bom (boa) no que faz. O sexo e a sexualidade são vistos mais ou menos do mesmo modo que qualquer compra importante: tem de ter qualidade; esta deve ser logo reconhecida como a qualidade segundo os padrões vigentes; além disso, tem de oferecer um senso de segurança. Em geral, a beleza física do parceiro é um aspecto importante; esses são os amantes que atribuem um valor especial ao local exótico, à suíte no hotel de luxo que o parceiro reservou, uma vez que isso renova a sua confiança de que estão sendo tratados com carinho. A parafernália do relacionamento é a demonstração externa de que os Órfãos necessitam; o enorme anel de diamante é usado com orgulho, até mesmo ostentado, como um sinal externo de que se é valorizado. E a lista não tem fim.

Por favor, leitor, lembre-se, enquanto lê estas palavras, que todos nós temos esse desejo de confiança tranquilizadora que estou descrevendo como a esfera do Órfão. Todos nós desejamos essas mesmas coisas: o parceiro amoroso e atraente, o quarto luxuoso, e assim por diante. O que faz a diferença é que o Órfão tenderá a ver essas qualidades como alguns dos aspectos mais importantes do relacionamento. Aqui um exemplo pode ajudar. No romance de Milan Kundera, *The Book of*

Laughter and Forgetting,⁷ a personagem principal torna-se obcecada pela lembrança de ter amado uma mulher que não era bela. Ele não consegue conciliar esse fato com seus padrões mais costumeiros para a escolha das amantes. Tenta apagar a lembrança, mas não consegue. Quando reflete sobre isso, ele fica cada vez mais descontente com sua vida normal e conformista, até descobrir que sua atitude fez dele objeto de suspeita da polícia secreta. A rejeição que ele sente pelos padrões vigentes o tornou perigoso em termos políticos, conforme ele deixa para trás o mundo do Órfão e se torna um Peregrino; é uma metáfora e tanto.

Ao contrário disso, houve um exemplo constrangedor e divertido do modo de pensar dos Órfãos no The Oprah Winfrey Show,* há alguns anos. Uma mulher, que não percebeu que estava na TV ao vivo, alegou que havia recusado a proposta de casamento de seu namorado porque, conforme ela disse "ele não ganhava dinheiro suficiente e não era muito bom de cama". Milhões de espectadores ouviram aquela pérola. Então, ela teria se casado com ele se ele fosse rico e viril? Isso era tudo de que ela precisava? Onde estava o amor nisso?

Para alguns Órfãos, esse desejo por bens materiais e segurança pode até mesmo existir na presença de muito pouco sexo. Existem muitos casamentos bastante felizes que dão certo mesmo não havendo muito sexo, pois o casal sente-se seguro com a falta de necessidade física um do outro. Parece haver um consenso de que o relacionamento é "bom o suficiente", e que é isso que eles querem. É evidente que isso pode ser um ponto potencial de conflito, já que um dos parceiros pode começar a sentir que não tem sexo suficiente, o que o leva a buscar outras rotas de satisfação; é aqui que o Órfão descontente começa a emergir. Eu desconfio que é isso que existe por trás da enorme quantidade de pornografia disponível na internet. A pornografia é, para algumas pessoas, uma maneira relativamente livre de riscos de obter alguma excitação física sem perturbar a rotina, e a necessidade física é preenchida, embora não se possa dizer o mesmo da necessidade espiritual.

O fenômeno das estrelas de cinema é igualmente interessante se visto sob essa luz, uma vez que nas décadas de 1980 e 1990 os astros dos filmes de James Bond, por exemplo, eram homens que representavam a fantasia masculina de alguém que "tinha" sexo em grande quantidade. É muito provável que os Órfãos ficassem atraídos por uma figura assim, já que costumam ser obcecados por quanto eles possuem (de qualquer coisa) ou conseguem obter. Na era da internet, parece que todas as estrelas de cinema são agora mulheres; é só pensar em Lindsay Lohan, Paris Hilton, Britney Spears e Jessica Simpson, como celebridades cuja atração parece ser, sobre-

---

* Oprah Winfrey, apresentadora famosa da televisão norte-americana. (N.E.)

tudo, a juventude, a beleza e a indiscrição quanto à sua vida pessoal. A isso podemos acrescentar o núcleo de quatro ou cinco mulheres glamourosas que, em cada caso, compõem as principais personagens de *Desperate Housewives* e *Sex and the City*. Será que isso ocorre porque os homens (que são também os usuários mais ativos de pornografia) estão agora seguindo uma atriz ou celebridade a quem eles vinculam as fantasias em andamento? Essas fantasias nunca tenderão a entrar em conflito com o mundo cotidiano. Mais uma vez, o sexo se torna irrelevante em termos espirituais, embora a excitação e a estimulação existam em abundância, e essa é uma tendência sempre presente para os Órfãos. Os Órfãos sempre estão em busca da opção segura.

Esse apego à fantasia está presente numa outra versão do Órfão: o obsessivo que se torna um perseguidor. Perseguir uma pessoa famosa que ele mal conhece requer uma enorme quantidade de esforço mental, bem como de tempo. O perseguidor precisa *acreditar* que realmente tem uma relação especial com a vítima, mesmo que essa relação não exista. Uma versão diferente disso é a pessoa que não consegue aceitar que um relacionamento terminou e, às vezes, é preciso uma ação cautelar de afastamento para que ela tome consciência. É evidente que essas ações baseiam-se numa recusa em admitir que uma situação mudou, ou que a outra pessoa é um indivíduo independente. É uma doença mental que precisa de tratamento, e está baseada no sentimento de medo e raiva do Órfão de que o mundo não é o que ele gostaria. É um estado que pode facilmente passar para a psicose.

Talvez pareça que fui bastante duro com o Órfão nesta seção, e essa não foi a minha intenção. Relacionamentos perfeitamente bons prosperam em toda parte, em que o sexo é considerado confortável e familiar (em vez de vital e fascinante, ou comovente e profundo). De maneira semelhante, há indícios, baseados em relatos, de que existem alguns relacionamentos sexuais que são ardentes ao extremo; contudo, isso parece acontecer *porque* há uma falta reconhecida de afeto real por parte de cada lado. Os clientes, em minha prática terapêutica, relatam que eles ou seus pares às vezes procuram "amigos sexuais" confiáveis como um tapa-buraco enquanto esperam encontrar relacionamentos mais significativos que parecem mais difíceis de conseguir. As provas em cada caso são baseadas em relatos e, às vezes, acompanhadas de ostentação. Todos nós já devemos ter ouvido alguma versão da alegação de que "o melhor sexo de minha vida" foi com alguém que a pessoa mal conhecia, ou encontrou de passagem nas férias, ou alguma variante disso. Nessa condição, o acontecimento nunca se torna plenamente real. Ele permanece no reino da fantasia. Uma noite de sexo ardente com um estranho não é a expressão mais elevada do vínculo amoroso. Os Órfãos desejam a fantasia, mas também necessitam da segurança do que é familiar. Talvez fiquem babando pelas estrelas de Hollywood no cinema, mas irão para suas casas contentes com suas esposas.

Não é tanto o que acontece entre as pessoas implicadas de maneira mais íntima, mas a sua atitude em relação ao que fazem, que faz toda a diferença. O Órfão valoriza os prazeres físicos, mas não deseja ter de avaliar com profundidade o significado de tudo isso.

Escolhendo a energia do arquétipo

A energia do Órfão pode parecer um pouco confusa, mas ela precisa ser *sentida* para ser compreendida. Na verdade, o Órfão tem dois aspectos e, portanto, duas energias: uma é equilibrada e a outra é desequilibrada e negativa. É fácil – fácil demais – entrar em contato com o Órfão descontente e negativo em cada um de nós. Basta lembrar de um momento em que nos sentimos zangados e malcompreendidos por aqueles à nossa volta, especialmente no trabalho. Todos nós sabemos como é poderoso esse sentimento! Ele pode nos fazer resmungar e rosnar, e pode dominar nossa vida. Não creio que qualquer um de nós precise passar mais tempo nesse espaço. Temos de lembrar de escolher apenas o aspecto produtivo desse arquétipo, bem como de todos os outros. Em vez de ir de encontro à dor de se sentir excluído e magoado, é muito melhor lembrar de uma ocasião em que fomos um Órfão positivo e equilibrado. Para isso, a melhor maneira é pensar numa ocasião em que nos sentimos um intruso bem recebido e amado, de forma inesperada. Passe alguns minutos pensando sobre isso. Anote rapidamente alguns exemplos em um pedaço de papel. Quanto você relutava em encontrar pessoas desconhecidas? Como se sentiu? Ao começar a pensar sobre isso, você se lembrará de mais exemplos do que imagina. Para mim é um imenso conforto lembrar das vezes em que pessoas relativamente desconhecidas me receberam bem e foram gentis. Quando eu era jovem e viajava pela Europa quase sem nenhum dinheiro, sempre me espantava e comovia a aceitação sincera que recebia de pessoas cujas línguas eu mal falava, pessoas que repartiam seu pão e queijo em vagões de trem que chacoalhavam, ou que apenas pareciam interessadas em me apresentar ao seu círculo familiar, mesmo que por pouco tempo. Lembro-me de pessoas gentis que me inteiravam da situação nos empregos novos, e que partilhavam algumas risadas no processo. Esse é o poder do senso equilibrado de amor do Órfão. Tem a ver com aceitação, apesar das diferenças. Os Órfãos sabem como dissolver essas fronteiras artificiais. Pense na pessoa gentil que orientou você na rua, que o ajudou com os mantimentos quando a sacola de compras arrebentou, ou que lhe disse qual era o melhor lugar para estacionar. Quando prestamos atenção a isso, vemos a força e o poder real do amor do Órfão em toda parte. Isso não passa despercebido. A gentileza existe em abundância em toda parte, se nos dermos ao trabalho de observar. É sempre uma energia que temos de escolher para nós mesmos, porque a energia negativa e sombria existe e estará pronta para nos aprisionar, se não tomarmos cuidado.

É simples entrar em contato com essa energia. Seja atencioso com um vizinho e levante uma lata de lixo que ficou derrubada. Deixe alguém com pressa passar na frente, quando você estiver na fila do caixa no supermercado. Compartilhe alguma coisa com um colega. Um dos assistentes administrativos da faculdade onde trabalho tem sempre picolés no congelador da geladeira comunitária, especialmente para a equipe de manutenção. Eles amam essa pequena atenção e sempre são rápidos para consertar as coisas, quando solicitados.

Os Órfãos à nossa volta

Pensemos por um momento nos seriados cômicos e dramas da TV. Agora pensemos nas pessoas que os assistem. Um dos pontos principais acerca de tantos desses seriados de TV é que as personagens não se desenvolvem. Sabemos que Joey, em *Friends*, será sempre ignorante, e sabemos que Gabrielle em *Desperate Housewives* será sempre centrada em si mesma e manipuladora. A natureza do seriado exige que seja assim. Para manter o equilíbrio, ninguém pode mudar, de um modo fundamental. Embora essa seja uma técnica garantida para nos fazer assistir à diversão segundo uma fórmula provada e verdadeira, também temos de ser sensíveis aos nossos desejos de surpresa, mas apenas dentro de limites. Queremos poder olhar para a tela e saber, em instantes, exatamente quem é a pessoa e como devemos reagir. Kramer, de *Seinfeld*, aparece na tela e nós sabemos o que pensar, e quando Elaine entra em cena, sabemos que ela sempre será absorta em si mesma. Esse reconhecimento fácil é, em parte, um alívio para nós, porque na vida nem sempre sabemos quem são as pessoas de maneira tão imediata. Nós fazemos a identificação fácil e nos sentimos bem em relação a nós mesmos. Sentimo-nos superiores. É nessa ocasião que incorremos no pensamento Órfão.

Então pergunte a si mesmo, quem são as pessoas que você conhece viciadas nessas séries? Aquelas que pegam o telefone após cada episódio para discutir a trama com seus amigos, talvez? Os Órfãos adoram julgar Órfãos pelos seus próprios critérios compartilhados. Ao fazer isso, eles confirmam esses critérios e os reforçam. Os Órfãos também adoram respostas rápidas e, assim, tendem a escolher situações nas quais há respostas facilmente definidas; a TV mostra grande disposição em prestar esse serviço. A complexidade e a profundidade deixam o pensador Órfão aflito. Infelizmente, esses dois elementos estão sempre à nossa espera.

O Órfão no Tarô

Se procurarmos no Tarô sugestões de como visualizar esse estágio, eu indicaria duas cartas que parecem refletir diferentes aspectos. Elas são A Torre, número 16 nos Arcanos maiores, e A Lua, que é número 18. Examinemos essas imagens agora. A Torre é uma imagem assustadora de uma torre de castelo que foi atingida por um raio, está pegando fogo e os habitantes (que em algumas versões parecem ser um homem e uma mulher, geralmente com coroas que podem sugerir um rei e uma rainha) estão caindo. A torre de segurança construída por esse par real não é páreo para a ira dos elementos, ou o poder de Deus. O topo da torre é, de fato, uma coroa, que foi arrancada com grande força, sugerindo que a atitude de se esconder por trás das ilusões de superioridade de classe e posses não salvará ninguém. Sendo uma imagem de alguém expulso de um lugar idílico, ela reflete os piores medos do Órfão, e comenta o que os Órfãos tendem a fazer para evitar seus medos: eles fabricam um lar forte para se sentir seguros.

A carta 18, chamada A Lua, é ainda mais pungente, porque mostra um cão e um lobo, isolados entre duas torres, uivando para uma figura de mulher, cuja face aparece na Lua. Os cães, assim como os Órfãos, ficam infelizes sem vínculos, e os lobos costumam ser associados ao exílio e à solidão, ao passo que as duas torres distantes parecem indicar que existem lares, mas não para esses animais. Eles são exilados, anseiam pela mãe eterna, que nessa imagem (como a própria Lua) cresce e mingua, e não parece ser confiável. Pior ainda, os cães, apesar de serem primos próximos dos lobos, eram utilizados, de modo tradicional, contra eles. Esses exilados são, na verdade, inimigos declarados. Se alguma coisa pudesse simbolizar a maneira de o Órfão desprezar aqueles que são apenas um pouco diferentes, ou que pertencem a um círculo diferente, seria esta. Da metade da carta para baixo, em alguns baralhos, há uma estrada longa e sinuosa que leva até as colinas. A única criatura que parece interessada nessa estrada é a figura da lagosta (geralmente chamada de caranguejo, por algum motivo), que está lutando para sair da poça. É evidente que a lagosta não conseguirá ir muito longe naquela trilha seca e pedregosa, e assim a imagem aponta para nós um senso de desesperança, de que ela não poderá progredir em termos espirituais, mesmo se quiser. Lagostas e caranguejos vivem dentro de suas couraças, e assim sugerem as defesas que o Órfão tende a querer construir para si mesmo. Ambas essas cartas são imagens do anseio de pertencer, de estar seguro, que é ameaçado pela realidade das circunstâncias variáveis. Quando essas circunstâncias mudam, quando somos lançados longe de nossa vida confortável, se nos oferece a chance de crescer. Recebemos a oportunidade de passar além do mundo do Órfão e de nos pôr a caminho, como a lagosta/caranguejo, em uma trajetória que exige que nos tornemos diferentes. E se nos recusarmos a fazer isso, vamos permanecer como um cão perdido, uivando para a Lua, queixando-nos de nosso destino.

Entre essas duas cartas, está a de número 17, A Estrela.

A primeira coisa que notamos é uma figura feminina despejando água de dois cântaros. Uma das mãos despeja a água em uma poça e a outra, na margem; um dos pés está na terra, o outro está na água. Talvez a sugestão é de que se pode fundir a própria personalidade com a dos outros, da mesma maneira que a água de um jarro se mistura com a água na poça, e também se pode escolher despejar a si mesmo em outra parte, reivindicando o próprio espaço, embora, em última análise, as águas fluirão de volta para a poça. Se este for o equilíbrio do Órfão saudável e bem ajustado, então será uma imagem que nos conduz a pensar em como o Órfão deseja se misturar e também ser diferente, embora não muito diferente. Essa parece ser uma carta que descreve o Órfão equilibrado com uma exatidão surpreendente. Por trás da figura nua existem sete estrelas pequenas e uma grande: a constelação da Ursa Maior e a estrela polar são sugeridas. O Órfão tem orientação para o próximo estágio, mas apenas se ele quiser mudar de posição e ver. Atrás dele, o pássaro na árvore tem suas asas prontas para voar, mas não está voando ainda. Então podemos considerar essa carta como o Órfão no ponto de mudança, pronto para ir além. Às vezes, o nome dado para essa carta é "o poço das águas da vida". O nome nos faz lembrar que os Órfãos equilibrados do mundo mantêm a sociedade funcionando suavemente, já que eles se importam com seu grupo social. Mas, ainda melhor que isso, é a impressão de que o Órfão equilibrado será a figura que, quando estiver pronto, irá se aventurar para se tornar um Peregrino.

Mais uma vez, o Tarô parece ter nos dado uma série de cartas que descrevem esse estágio arquetípico específico com alguma elegância, tanto os aspectos negativos quanto os positivos.

Exemplos da vida real: a princesa Diana[8]

A história de vida da princesa Diana poderá nos revelar aspectos fascinantes do mundo do Órfão, se optarmos por vê-los. Diana era a típica Inocente quando se casou com o príncipe Charles; ele tinha 31 anos e ela, 19. Ela estava, sem dúvida, apaixonada por ele; conheceu-o quando era muito jovem e chegou à conclusão de que ele era o homem certo para ela. Com certeza, ela era inocente em termos sexuais. Como professora de jardim da infância, ela passava o seu tempo alegremente com outros Inocentes. É possível que tivesse alguma noção de quanto seria difícil ser uma princesa e estar muito exposta aos olhos públicos, mas não vacilou. Uma vez dentro da família real, ouviam-se frequentes rumores acerca de como ela estava isolada, como não conseguia se ajustar e como a rainha não parecia se entender com ela. Não creio que seja o caso de apontar culpados agora, mas ela sofreu. Talvez seja possível entender a situação mais plenamente se pensarmos na recém-casada Diana como uma Órfã, que não havia conseguido ser adotada pela família real; em parte, isso tem a ver com a existência de Camilla Parker-Bowles como amante de Charles. Diana, na condição de Inocente antes do casamento, certamente esperava um casamento de amor. Quando descobriu que havia sido enganada, ela se tornou uma Órfã, mas não permaneceu nesse lugar de desespero; ela fez o que era quase impossível de se imaginar e divorciou-se dele.

Temos apenas de olhar para a transformação de Diana naqueles poucos anos, conforme ela passava de uma professora de escola, tímida e monossilábica, que parecia temer a imprensa, para uma mulher que sabia como utilizar a mídia com perfeita habilidade, para tratar não apenas de suas próprias necessidades mas também as de suas instituições beneficentes. Na verdade, é possível dizer que, como sua imagem era um fator tão poderoso no trabalho público que ela empreendia, não havia realmente diferença entre as necessidades dela e das causas que defendia.

Então o que tornou possível essa transição? Meu argumento é que a força interior de Diana, enquanto Inocente, tornou-a capaz de superar as ciladas potenciais da Orfandade, e que ela permaneceu uma Órfã por um tempo relativamente curto. Reuniu toda a sua energia – energia que não conseguiu utilizar plenamente em seu casamento – e a dirigiu à sua obra beneficente, cujo sucesso foi espetacular. Ela se tornou a "Princesa do Povo": suas imagens abraçando pacientes com Aids são famosas, ao passo que a rainha e muitas outras pessoas nem ao menos apertariam suas mãos. Dessa maneira, ela mostrou-se acessível e compassiva, ao contrário do restante da família real. A família real pode não ter aceitado Diana, mas esta estava determinada a fazer as coisas a seu modo. A sua rebelião de Órfã ganhou ímpeto até que ela, de fato, seguiu uma trajetória própria. Divorciou-se de Charles porque, conforme disse, havia gente demais no casamento, com uma amante real do lado. Recusou-se em concordar com um casamento de fachada. Essa recusa, juntamente com sua decisão de fazer coisas a seu próprio modo, marca-a como um Peregrino que encontrou um conjunto de valores que estava pronta para defender; isso, então, permitiu-lhe agir segundo esses valores, como um Guerreiro, de fato.

Deve ter sido necessário uma enorme coragem. A imprensa foi desumana, pronta para se virar contra ela a qualquer momento. Entretanto, de maneira surpreendente, Diana continuou realizando sua obra beneficente. O seu trabalho com minas terrestres é especialmente interessante, na medida em que ela se identificava com os Inocentes (a maioria crianças), que foram mutilados e mortos por esses dispositivos. Desse modo, ela tomou o próprio sentimento de dor e injustiça, que ela realmente sofrera, e o transformou numa causa para ajudar outras pessoas. Não se agarrou a seu status de Órfã, embora deva ter sido uma tentação fazer o papel de vítima. Ela partiu e teve casos amorosos, segundo a mídia. Uma pessoa inferior teria escolhido desaparecer de vista. Ela não fez isso, e também parecia determinada a manter um relacionamento amoroso pessoal, apesar dos boatos que se espalhavam entre o público. Na verdade, pode-se dizer que Diana mostrou sinais de ser uma Guerreira-Amante, cujas obras públicas pareciam tender a movê-la até o nível do Monarca, mesmo que nunca pudesse ser, de fato, a rainha da Inglaterra. Quem sabe onde ela se encontraria neste momento, se não tivesse sido morta pelo acidente de carro em Paris?

É claro que Diana era também uma pessoa, e imperfeita. Alguns a amavam, alguns a odiavam, e todos tinham os seus motivos. Se pudermos nos distanciar das preferências pessoais e considerar a trajetória de sua vida como um todo, podemos observar que ela realmente se desenvolveu em termos espirituais de uma maneira inesperada. Se pensarmos nos outros divórcios reais, podemos fazer algumas comparações. O capitão Mark Phillips casou-se com a princesa Anne, e dela divorciou-se, e tornou-se uma figura um tanto obscura desde então. Certamente, ele não parece ter atingido o *status* de Diana enquanto figura pública. Lady Sarah Ferguson casou-se com o príncipe Andrew, e divorciou-se dele, e suas contribuições para o mundo público foram igualmente silenciadas. Ela fez uma série de palestras e anúncios para uma empresa de dietas e parece que isso foi tudo. Se utilizarmos esses dois casos como comparações, então o exemplo da princesa Diana é ainda mais notável; ela usou a sua posição para o bem de muitas pessoas, não apenas para seu próprio bem.

O príncipe Charles, a seu próprio modo, começou a se tornar visível mais plenamente também, em anos recentes. Ele deu palestras sobre arquitetura, promoveu a fundação beneficente que leva o seu nome e continuou envolvido com as artes, bem como com a promoção de modalidades alternativas de saúde. Ele tem insistido em ser um príncipe que usa a sua situação para beneficiar os pobres e desprivilegiados. Talvez fizesse o mesmo, caso ele nunca tivesse conhecido Diana; ou, talvez, o exemplo dela o tenha ajudado a se tornar mais direto, e funcionado como a cutucada que ele precisava. Não há como saber com certeza; contudo, talvez seja possível dizer que, mesmo após a sua morte, o exemplo de Diana permitiu que ele desse um passo adiante e fosse mais honesto e aberto. Mesmo não sendo necessário, ele finalmente se casou com Camilla Parker-Bowles. Ele poderia ter apenas continuado o caso amoroso e evitado a publicidade indevida. É como se seu divórcio de Diana tivesse ajudado a criar uma situação que, num momento posterior, permitiu-lhe uma maior honestidade pública. Se foi assim, há toques do Mago nisto. Gosto de pensar que Diana, apesar de todos os seus erros, levou coragem suficiente à Casa de Windsor, para permitir que as posições rígidas na hierarquia social fossem mais honestas e menos formais. É nessa coragem que precisamos pensar ao considerar o que cria a transição do Órfão para os níveis seguintes.

Isso nos leva a considerar Camilla, já que, de algumas maneiras, ela reflete Charles. Por causa de sua vida pregressa, ela foi considerada inadequada para casar com Charles; portanto, tornou-se sua amante, mesmo sendo casada com outro. O que devemos concluir disso? Essa seria a ação de uma maquinadora? É desonesta, de uma maneira fundamental? É difícil dizer, e devem existir muitas opiniões. Em minha opinião, deveríamos focar no fato de que Camilla não apenas parece amar Charles, mas que continuou amando, apesar de ambos os casamentos deles. Deve ter exigido grande quantidade de providências e determinação para viver assim. Uma pessoa inferior teria desistido. Parece seguro dizer que Camilla pode ter cometido um erro em seu primeiro casamento, mas ela não desistiu. Ela se manteve verdadeira por muitos anos até que finalmente conseguiu casar com o homem que desejava. Em termos de nossa discussão aqui, seria legítimo dizer que o primeiro casamento de Camilla pode ter representado uma rendição a um problema que parecia impossível, e um desejo de fazer o melhor dentro de uma situação imperfeita. Isso é o que fazem os Órfãos. Eles pegam o segundo lugar, porque temem não obter o que desejam; então eles se conformam. Charles, ao casar com Diana, também não agiu em harmonia com seus desejos mais profundos, e ele também não deve ser criticado por essas ações. Ambos agiram como Órfãos, cedendo às pressões sociais. O que é notável é que Camilla decidiu seguir seu próprio caminho, agir segundo a própria verdade e correr os riscos. Embora não tão plenamente aos olhos públicos quanto Diana, ela ainda assim mostrou sinais de lutar pelo que desejava, como uma Guerreira-Amante.

Não tenho como saber como a História vai considerá-la, mas não posso deixar de pensar que um de seus dons talvez seja que ela parece ter devolvido à família real um senso de estabilidade sutil. Ela parece dar-se bem com todas as pessoas e ser a diplomata comedida. Estou certo de que a família real está aliviada em relação a isso. Talvez ela até represente alguma medida de cura para uma família que teve excesso de divórcios e perturbações; pois três filhos divorciados numa família de quatro é um número muito acima da média. Camilla pode não ter o óbvio carisma de Diana, mas é a sua calada persistência que podemos lembrar, bem como sua habilidade de se recuperar do passo errado de seu primeiro casamento; Camilla honrou o amor que dividia com Charles. Diana percebeu que seu próprio amor por Charles não era recíproco e também honrou o amor quando se recusou a rebaixá-lo.

Se existe uma lição em tudo isso, ela poderia ser resumida da seguinte maneira: se quisermos nos retirar de nossa vida de Órfãos, deveremos olhar para as nossas forças de Inocentes. Se pudermos resgatar esse senso de vínculo real, de coragem, aquele sentimento do que é certo e verdadeiro para nós, então poderemos nos suprir do poder que nos leva adiante. Uma maneira de fazer isso é amar a nós mesmos o suficiente para respeitar nossas convicções e nossas necessidades, e amar os outros e trabalhar pelo seu bem.

Notas

1. *Bridezillas* é produzido por September Films. Foi ao ar primeiro em 2001 e em 2004 passou para o canal Women's Entertainment, onde foi o programa que recebeu melhor classificação na rede.
2. "Lives of quiet desperation" está em *Walden* (1854), de Henry David Thoreau.
3. *Desperate Housewives,* segunda temporada, 2005.
4. *Lost Boys of the Sudan: A Documentary Film,* de Megan Mylan e Jon Shenk, distribuído por Actual Films e Prince Productions, 2003. O título do filme é hoje amplamente utilizado pelo fenômeno das crianças refugiadas nessa parte do mundo.
5. *The Fishing Boys of Ghana* foi o título do programa de TV de Oprah, em 2007, dedicado a essa situação de tráfico humano. O nome foi agora adotado pelo Departamento de Estado. Veja o *site*: http://usinfo.State.Gov/gi/Archive/2005/Apr/19-836711.html
6. Citação de William Faulkner – bastante mencionada. Ver: www.littlebluelight.com.
7. Milan Kundera, *The Book of Laughter and Forgetting,* trad. Aaron Asher (Nova York: Harper Perennial, 1999).
8. Citação na entrevista da princesa Diana pela TV BBC, que foi ao ar na ABC-TV em 24 de novembro de 1995. O texto completo da entrevista, que é uma leitura fascinante e a mostra como uma Órfã perdida querendo se renovar, pode ser lida em: http://scoop.evansville.net/diana.html

Capítulo 6
Amor Peregrino

O Peregrino é a pessoa que opta por se afastar do conforto consolador de uma existência estabelecida e faz perguntas sobre o que mais pode ser descoberto no mundo ou em si mesmo. Isso pode ser tumultuado, como a partida de Gauguin para o Taiti, mas não precisa ser. Dois Órfãos que se amam podem descobrir que, conforme aumenta o seu amor, eles passam a desejar uma maior ligação com os significados espirituais que os atraem e, movidos pelo assombro do que sentem, tornam-se Peregrinos. Se apenas um dos parceiros sentir dessa maneira, teremos o perigo de um relacionamento desequilibrado. Todos nós já vimos isso. É o estereótipo da mulher que deseja maior profundidade, enquanto o homem quer que as coisas permaneçam as mesmas.

Isso nos leva a um dos principais perigos da fase do Peregrino: é sempre possível recair na fase de Órfão. Essa é sua grande tentação: desistir de sua busca por significado. Os Peregrinos podem optar pela aposta segura, talvez porque estejam cansados de relacionamentos insatisfatórios, ou porque sintam que estão ficando velhos e o relógio biológico está batendo, ou porque não creiam que o amor verdadeiro exista para eles. Alguns se tornam desencorajados pelos parceiros, mas têm filhos mesmo assim e esperam que esses filhos proporcionem o amor e a sensação de significado tão ansiado. Esse pode ser um terreno perigoso. O pai (ou mãe) envolvido(a) em excesso pode causar tanto prejuízo quanto qualquer outra influência. Em sua carência, a exigência tácita é que a criança de alguma maneira o complete, ou justifique a sua existência. Não obstante, não é tarefa de ninguém na vida viver *por* outra pessoa. Ninguém pode "completar" ninguém. Essa tarefa é de cada um.

Para compreender o Peregrino, temos de voltar por um momento ao Órfão. Os Órfãos são as pessoas que mais tenderão a acreditar que alguma outra pessoa os tornará melhores. Trata-se do antigo devaneio "um dia meu príncipe chegará". É uma questão de esperar pelo milagre. É uma opção fácil e, até mesmo, preguiçosa, baseada na falta de confiança de que tenhamos qualquer poder sobre nossa própria vida. Em meu trabalho terapêutico, encontrei muitas pessoas que incorreram nessa maneira de pensar. Contudo, nem mesmo a Cinderela ficou sentada sem fazer nada; ela mobilizou os escassos recursos que tinha e foi ao baile para garantir seu encontro com o príncipe, fazendo isso não apenas uma, mas três vezes. Até mesmo a Cinderela teve de deixar a poeira e as cinzas, fabricar o seu vestido e carruagem (com uma pequena ajuda, é claro) e aventurar-se no mundo como Peregrina. Ela sabia que era uma Órfã – sua madrasta e filhas da madrasta a faziam lembrar disso com regularidade – e também sabia que, a menos que fizesse alguma coisa, nada poderia mudar. Em algumas versões da história, as criaturas que ela havia tratado com gentileza ajudaram Cinderela: os pássaros a ajudaram a separar as lentilhas que sua madrasta havia despejado nas cinzas, por exemplo. Em outra versão, os ratos que ela poupa das armadilhas se tornam os cavalos de sua carruagem. Esse pequeno detalhe é emblemático do que acontece aos Peregrinos do mundo: eles podem estar numa busca por significado, mas ainda assim precisam ser gentis com os outros, e essa gentileza lhes será útil. De fato, Cinderela é vista muitas vezes com pássaros e animais, o que sugere que, de algum modo, ela está em contato com o lado vital e instintivo de si mesma. Se considerarmos as coisas dessa maneira, então o pássaro branco (a fada madrinha das versões posteriores) não é uma criatura que aparece só para resolver problemas; é um emblema da capacidade do Peregrino de pensar de modo diferente. Nesse conto de fadas, a Cinderela realmente queria ir ao baile e não seria dissuadida.

A vida do Peregrino raramente é fácil, já que, embora ele parta intrépido para o mundo em busca de um vínculo verdadeiro, é possível que se perca na aparente investigação emocional, que é, na verdade, apenas uma troca regular de parceiros ou amigos ou empregos. Um verdadeiro Peregrino espera que seu caminho o conduza a um relacionamento significativo com uma outra pessoa, o qual possibilite que cada parceiro atinja um nível mais elevado de crescimento, conforme prossiga o relacionamento. Mas muitas pessoas têm medo disso. Pode-se fazer uma comparação com a compra de um carro. A maioria das pessoas escolhe o carro que convém às suas necessidades. Elas fazem uma avaliação, para saber o custo aproximado. A seguir, as parcelas mensais são calculadas, para não haver surpresas. Agora, imagine que alguém comprasse um carro que começasse a crescer, desenvolver-se, mudar, tomar mais espaço, exigir mais tempo... e talvez se tornasse, com o tempo, algo mais do que um carro. Isso é um pouco assustador e, no entanto, é isso que o Peregrino deseja. O senso de propósito que vem com esse amor é, para o Peregrino, absolutamente essencial. O amor tem de ser capaz de crescer.

Se retornarmos à *Cinderela* por um momento, o que vemos é que Cinderela tem de ir ao baile em três ocasiões. Ela se arrisca e não desiste na primeira tentativa. De uma maneira muito real ela está demonstrando, para si mesma e para os outros, o que poderia ser, caso se tornasse esposa do príncipe. Ela se aventurou bem além de seus limites costumeiros; contudo, parece estar consciente de que não basta permanecer no baile e esperar que tudo dê certo de modo miraculoso, ao menos não naquele momento. A sua saída à meia-noite simboliza o ponto em que um dia termina e um outro começa; ela é uma criatura em ponto de mudança; todavia, não pode se tornar a princesa até que o príncipe também saia de sua zona preferida de conforto. É ele quem declara que seguirá o rastro e localizará a garota misteriosa. Ele poderia simplesmente desistir. Em vez disso, decide correr o risco. Afinal, ele é aquele que foi enganado duas vezes pelas irmãs malvadas, que cortaram os dedões para fazer caber o pé no minúsculo sapato. Essa é uma imagem maravilhosa do que alguns Órfãos fazem com o objetivo de "ajustar-se!". De maneira literal, eles destroem partes de si mesmos (até mesmo podem aleijar a si mesmos) para obter aquilo que pensam que irá causar inveja em todos. Em nosso mundo de cirurgias plásticas, esse certamente não é um conceito muito estranho, embora pior do que isso sejam aquelas pessoas que se limitam intelectualmente e agem como se fossem idiotas, para obter aprovação.

Enquanto isso acontece, o príncipe, à sua própria maneira, também está se tornando um Peregrino. Ele sai em busca da mulher que o encantou e é fiel à sua palavra. Devemos observar que as irmãs feias continuam tão feias como antes, e certamente todos o perceberam, mas o príncipe havia dito que se casaria com a pessoa cujo pé coubesse no sapatinho, e se mantém fiel às suas palavras. É interessante que, na versão original dos irmãos Grimm, as irmãs eram realmente lindas, mas tinham um coração perverso, o que torna a tarefa do príncipe um pouco diferente e um pouco mais difícil. Mesmo assim, ele deve ter percebido que a irmã conduzida em cada ocasião não é Cinderela, mas ele concorda em honrar a sua promessa. Esse é um homem cuja palavra será mantida e pode-se confiar nisso. É também um bom representante do Peregrino e do que este deve fazer, em certas ocasiões, que é manter-se em seu rumo, mesmo que isso pareça um tremendo equívoco. Em algumas versões da história, quando o príncipe vê os pés ensanguentados das irmãs feias, fica tão enraivecido com essas tentativas de enganá-lo, que ordena que elas sejam açoitadas. Na versão dos irmãos Grimm, as pombas bicam os olhos das irmãs. As pombas são emblemas da paz e pombinhos são símbolos da eterna fidelidade. É como se até a natureza estivesse horrorizada com as fraudes das irmãs, que certamente conduzirão à infelicidade. Não deixamos de pensar que uma ação enérgica, tal como bicar os olhos, é parte da lógica interna da história, que procura mostrar que os Peregrinos precisam ter um respeito absoluto pela verdade e *eles exigem isso dos outros*. As aparências não bastam, daí o detalhe dos olhos. O Peregrino busca o amor verdadeiro, e o Guerreiro-Amante se recusa a fazer concessões.

É apenas quando ambos, Cinderela e o príncipe, passam pelas três tentativas de encontrar um ao outro que a história pode chegar a uma conclusão feliz. E aqui não devemos deixar passar a essência do fim da história. Não é apenas que Cinderela obtém uma promoção e passa a ser uma princesa; é mais o caso de um príncipe rico e mundano (sem dúvida, um homem, figura autoritária acostumada a administrar a justiça) que se une com sua contraparte mulher, gentil e afetiva. Lembremo-nos de que os camundongos e ratos que se tornaram os cavalos e cocheiros de Cinderela foram, na verdade, salvos por ela das armadilhas espalhadas na cozinha, o que parece mostrar um coração terno, e as pombas da versão dos Grimm são, como já vimos, símbolos de paz e harmonia. Essa união do poder "masculino" com o atributo "feminino" da compaixão permite a união simbólica do Guerreiro com o Amante, na medida em que a dupla se casa e torna-se, aos olhos da igreja, uma carne e aos olhos do mundo, um verdadeiro Par de Monarcas.

A intenção desse breve percurso pelo conto de fadas é ressaltar que o empenho do Peregrino nunca se resume a uma mera e vaga perambulação. É um esforço que exige muita atenção, às vezes é atormentado por atos impróprios e sempre requer coragem. Podemos imaginar o que o rei teria pensado se seu filho trouxesse para casa uma escrava da cozinha sem um tostão; contudo, o príncipe sabe que ele e Cinderela juntos poderão transcender essas objeções óbvias. As qualidades internas são o que importa, e não os atributos externos tão amados pelos Órfãos.

Isso nos leva a um importante detalhe. Cinderela recebe esse nome por ter sido relegada a sentar nas cinzas e cuidar do fogo. Ela é uma Órfã (a madrasta malvada a relembra disso) que parece estar reduzida ao mero trabalho escravo. Não obstante, o tempo em que ela sentou nas cinzas pode ser considerado uma metáfora, que mostra um crescimento interno; um tempo de luto pelo que é perdido, que ela sabe como superar, quando chega o momento certo. Os Peregrinos muitas vezes têm de passar um tempo refletindo, com profundidade, sobre quem eles são, e às vezes a rejeição e a humilhação proporcionam o ímpeto necessário. A maioria de nós não investiga profundamente a própria alma quando tudo está indo bem; às vezes, precisamos de uma virada na sorte para nos impelir para a frente.

Os desafios do Peregrino: a armadilha do Peregrino

É evidente que ser um Peregrino pode significar trabalho duro. As pessoas reconhecem o aspecto independente do Peregrino e são atraídas por ele. Elas também enxergam que o Peregrino ainda não encontrou o que ele ou ela precisa e, assim, é um pouco imprevisível e, portanto, uma aposta arriscada. O que tende a acontecer é que as pessoas que têm muitas qualidades excelentes, mas que, na realidade, são Órfãs, podem tentar "domesticar" o Peregrino, ou "salvá-lo". Isso está inteiramente de acordo com a perspectiva do Órfão. É muito mais seguro e aconchegante estar de volta a um mundo previsível de valores estabelecidos. Os Órfãos amam ter Peregrinos à sua volta, porque a inquietude deles oferece um sopro de *glamour* sem a necessidade de aderir à luta pessoalmente. Muitos corações são partidos quando Órfãos e Peregrinos se reúnem. Às vezes o Órfão faz o papel de "alguém a ser salvo" e o Peregrino cai nesse jogo, obtendo uma impressão temporária de poder e direção, ao propiciar uma boa direção a alguém. O Peregrino, porém, logo se sente preso à dependência que ele próprio encorajou – um Peregrino jamais deseja se prender a pessoas que queiram que ele seja de determinado modo. Os Peregrinos sentem que desejam ser de seu *próprio* jeito.

Assim, os Peregrinos têm sido acusados de serem insensíveis, frios, egoístas, rejeitadores ou "perdidos". É só olhar para o príncipe zangado de Cinderela, condenando as irmãs feias a punições violentas. Como isso é cruel! Contudo ele tem de rejeitar, e rejeitar com ímpeto, aquilo que não é certo. É nesse ponto que temos de estar conscientes de uma armadilha em potencial para o Peregrino: às vezes, este parece rejeitar as outras pessoas, já que esse é o único modo de continuar a sua busca e permanecer Peregrino. Aceitar amor pode levar o Peregrino à posição de Guerreiro-Amante, o que pode parecer mais do que é possível administrar. Em última análise, isso acontece porque o Peregrino ainda não ama a si mesmo o bastante para conseguir dar esse salto. A armadilha do Peregrino reside em se dedicar mais ao hábito de ser um Peregrino do que em considerar este um estágio que deve ser superado. Sempre que uma pessoa se torna mais apegada à forma de uma atividade do que à meta desta, ela terá aceitado uma fórmula de vida e virado as costas para a própria vida. Viver segundo uma fórmula é o que faz o Órfão. Assim, a pessoa que parece, à primeira vista, o perpétuo buscador é, em alguns casos, apenas uma outra versão do Órfão. É fácil para qualquer um de nós, portanto, retroceder dessa maneira.

Então, o que mantém o Peregrino em ação?

Em simples palavras, o Peregrino tem de encontrar um propósito na *vida* bem como um propósito no *amor*, e é essa a diferença. Um Órfão pode aceitar as definições de outras pessoas acerca do que é a vida, ou até mesmo aceitar que não há muito mais na vida exceto ir adiante, obter promoções e mudar-se para um lugar maior conforme os anos passam. O Peregrino tem de ter uma convicção alcançada pelo próprio esforço, no próprio tempo, e *então* ele irá ao encontro de almas afins.

O Peregrino aprende sobre o amor e o apego na busca por uma causa, uma ideia, um senso de atividade significativa. Creio que é isso que se encontra por trás de tantas pessoas que decidem construir suas carreiras em primeiro lugar e só então procurar um companheiro. O Peregrino tem de desejar (seja o que for que deseja) não por causa da gratificação do aplauso (que é a recompensa do Órfão), mas porque realizar a tarefa é, em alguns sentidos, a sua recompensa. Conheci escritores que diziam que continuariam a escrever ainda que suas obras não fossem publicadas, porque é isso que eles amam fazer, e sentem que isso os aproxima de algo verdadeiro. Também conheci artistas que confessaram livremente que a única coisa que os mantinha trabalhando era o dinheiro, e desistiriam do trabalho no dia seguinte, se pudessem. Não é o que fazemos, é o espírito com que impregnamos a ação que faz a diferença.

Voltando a *Cinderela*,[1] então, há mais observações a serem feitas. No início da história (segundo a versão dos irmãos Grimm), o pai de Cinderela vai viajar e pergunta o que ele deve trazer de volta. As duas irmãs pedem vestidos caros. Cinderela pede um ramo da primeira árvore que bater contra o chapéu de seu pai. Este certamente é um pedido esquisito que precisa ser decifrado. As duas irmãs querem mostrar boa aparência, e então agem de acordo com esse pensamento Órfão. O pedido de Cinderela produz um ramo de avelã, que ela planta no túmulo de sua mãe e que cresce até se transformar numa árvore que, num momento posterior, dará origem a seus vestidos nos três dias do baile. O ramo que bate contra o chapéu de seu pai é emblemático da natureza que remove (ou quase remove) o seu símbolo de autoridade: seu chapéu. Os chapéus costumavam ser considerados como marcas de posição numa hierarquia social, motivo pelo qual as pessoas os removiam na presença de outros de posição mais elevada, e por que os chapéus podiam ser tão elaborados. As forças armadas ainda têm chapéus mais glamourosos para seus oficiais que ocupam postos superiores do que para os outros. Assim, podemos considerar o pedido de um ramo como a consciência de Cinderela de que ela está em sintonia com o crescimento natural e o amadurecimento, em vez de se importar com questões de autoridade, e o fato de ela honrar esse processo natural é evidente quando planta o ramo no túmulo de sua mãe. A árvore resultante desse plantio devolve seu cumprimento, dando-lhe os vestidos que ela precisa, que se penduram em seus ramos quase como as frutas que aparecem quando o momento é certo. É de notar a frequência com que Cinderela está associada a coisas naturais: a avelã, os pássaros que a ajudam a separar as sementes, as pombas que punem as filhas da madrasta e as frutas maduras. A narrativa parece mostrar que, não obstante o nosso parecer sobre o que acontece a essa garota, ela está passando por um processo natural e de crescimento. É de notar, também, que ela não tinha nenhuma dúvida de que deveria ir ao baile. Ela não aceita a proibição da madrasta. Sabe que deve estar lá, assim como o príncipe sabe que agora deve se casar. Esta é a sensação de saber do Peregrino: essa certeza interna que nos conduzirá aonde precisamos ir, se confiarmos nela. Isso nos leva de volta ao ramo de avelã. Ela o planta no túmulo de sua mãe, e ele se torna um símbolo da capacidade de Cinderela de sentir a força do amor de sua mãe, mesmo muito tempo após a morte desta. Ao lembrar desse amor, ela sabe que, não importa o que diga a sua madrasta, ela é digna de amor, e isso a leva a confiar de maneira implícita em seus julgamentos. A história sugere que, sem esse amor materno básico, Cinderela não teria a convicção central necessária para crescer em termos emocionais. Ela encontra sua força por meio da capacidade de entrar em contato com o Inocente interior.

Então nos perguntamos por que Cinderela foge do príncipe ao fim de cada noite de baile. Em termos de enredo, é o que permite que ele vá à procura dela, conforme vimos, e assim, que seja um Peregrino e um Guerreiro-Amante. Em termos de psicologia, representa a necessidade do Peregrino, recém-transformado em Guerreiro-Amante, de se declarar (e mostra como pode ser tentador retirar-se para o trabalho monótono e rotineiro de ser um Órfão). É isso o que Cinderela faz, e é também um padrão familiar que vemos em outras fábulas populares (*João de Ferro*,[2] por exemplo) quando o herói avança, age e depois recua, em três ocasiões. Isso sinaliza que muitos de nós não conseguiremos fazer essa transição audaz ao Guerreiro-Amante, se não tivermos criado primeiro uma ligação forte com alguém; esse alguém terá de nos aceitar pela pessoa que estamos nos tornando, e não pela pessoa que costumávamos ser.

Isso é importante. Eu me deparei com casais que discutiam e se recriminavam mutuamente por causa de fatos de sua história passada, ou local de nascimento. Dizer que alguém é "escória que vem lá da favela", conforme relatou uma jovem que havia escutado isso de alguém importante em sua vida, não é útil. Qualquer um pode nascer pobre e ninguém consegue escolher exatamente onde vai respirar pela primeira vez. Reprovar o próprio parceiro por causa de sua história é como o racismo, uma vez que ninguém consegue mudar o passado ou a cor da própria pele. Todos nós podemos, é certo, mudar quem somos no momento presente; podemos olhar para o nosso amante sabendo que cada um de nós teve experiências pouco admiráveis, sem lançar isso, de modo algum, contra a outra pessoa. O que interessa para Cinderela é a relação que ela tem com o príncipe quando ela dança com ele, quando ela se torna sua parceira preferida. O importante não é o lugar de onde você veio, mas quem você se torna quando está com a pessoa que ama.

Munidos desse conhecimento, podemos agora dizer que a diferença entre os estágios do Peregrino e do Órfão é de intenção, mais do que de grau. Um Órfão pode estar extremamente apegado a uma pessoa que ele mal conhece, ou a uma filosofia que não tenha sido estudada o suficiente. Os políticos extremistas têm explorado essa necessidade humana de maneira implacável. Os Órfãos se afeiçoam porque sentem terror de não terem vínculos. Os Peregrinos querem se afeiçoar, mas são questionadores, às vezes rejeitadores e, assim, parecem ser, à primeira vista, almas difíceis que rejeitam outras pessoas perfeitamente boas.

"Não consigo acreditar que ele não corresponde a ela. Ela o ama tanto!" É assim que uma mulher descreveu a situação que observou e, sem simplificar demais, creio que podemos ver uma mentalidade de Órfão julgando uma incompatibilidade de gênios de Órfão-e-Peregrino. "Eu só quero alguém que me ame", declarou outra pessoa, exprimindo uma necessidade básica que todos nós temos e, não obstante, fazendo isso de uma maneira pouco crítica. Esse poderia ser o grito do Órfão na noite escura. O Peregrino quer amor com a mesma intensidade, mas quer ter certeza de que o amor oferecido será uma boa parceria, que não impedirá a busca pela alma. Pois é isso o que faz o Peregrino.

Em outras palavras, o Órfão está procurando os consolos do ego. Conforme já vimos, é o ego que nos diz que somos quem somos por causa da maneira como os outros nos veem. Temos nossa identidade, em alguma medida, como resultado das coisas que temos, o tipo de amigos que temos e o emprego que temos. Perder a boa consideração dos outros é altamente doloroso para o ego do Órfão.

O Peregrino confia menos no ego porque descobriu que suas recompensas não são satisfatórias. Ele sabe que é mais do que suas posses, porque sente que estas não são suficientes, de alguma maneira. Nessas circunstâncias, o Peregrino emergente pode cair na armadilha de vícios. Os vícios podem, no início, permitir que alguém se ajuste. O adolescente torturado que fica mais engraçado quando bêbado está, na frase convencional, medicando a si próprio, e a medicação pretende *diminuir* a dor de ele não conseguir se ajustar. Reconhecemos o padrão: depois de um tempo, os vícios se tornam uma identidade em si mesmos. A busca de dinheiro para alimentar um hábito, a ronda pela droga, tudo isso dá ao ego um propósito, ao mesmo tempo que oferece a ilusão de transcender o ego. Esse tipo de pensamento Órfão – apego ao vício – faz afundar o Peregrino emergente, ao passo que parece oferecer o oposto. Não admira que seja tão difícil largar os vícios.

Tenho uma experiência limitada no trabalho com viciados, mas, a partir das pessoas com quem trabalhei, me parece que os vícios e os comportamentos compulsivos podem ser abalados quando o indivíduo desenvolve a capacidade de se distanciar do ego e observar a situação de fora. O "ego observador" é o que nos faz perguntas complicadas. Dizem-nos que deveríamos querer certas coisas na vida. O ego observador não é meramente reativo. Ele não grita apenas "Sim!", aderindo aos comportamentos socialmente aceitos. O ego observador pergunta: "Então, por que sinto que isso não vai funcionar para mim?". Isso exige coragem. Fazer a pergunta "Isso é tudo o que existe?" pode ser alarmante, e tentar encontrar uma resposta pode ser muito aterrador, especialmente quando todas as outras pessoas parecem felizes fazendo o que todas concordam que é bom. Se considerarmos os vícios, é raro alguém decidir, num belo dia, "Eu vou abusar do álcool" ou seja qual for a droga. Os vícios são quase sempre sociais. A ação de provar acontece porque parece ser a coisa certa a fazer, naquele grupo específico, naquele momento específico, para aquele objetivo específico. Deprimido? Tome um gole e esqueça! Esse é o pensamento do Órfão. Contudo, é pouco provável que a pessoa que tenha um ego observador (e vigilante) considere isso uma solução real. Os Órfãos fazem o que todo o mundo faz, ainda que não funcione realmente. Os Peregrinos tendem a bancar as próprias opiniões, que é uma forma de amor por si próprio.

Assim, de onde se origina esse amor ao eu, que torna o Peregrino capaz de recusar o pensamento Órfão, e por que não são todas as pessoas que o possuem? Eu sugiro que todos nós temos amor ao eu, mas ele pode ser suprimido em nós pela cultura do Órfão. Amávamos e respeitávamos a nós mesmos, na condição de Inocentes. Em algum ponto, esse poderoso senso de eu é solapado, e isso pode muito bem acontecer porque em culturas de massa, como a nossa, é mais difícil do que nunca alguém se rebelar contra o pensamento do grupo. A cultura de massas é um fenômeno relativamente novo. Antes de 1750, mais ou menos, ela não existia no mundo ocidental, e as pessoas se conformavam de um modo geral, uma vez que a conformidade tinha relação com a sobrevivência. Seria maravilhoso poder construir a ideia de uma idade de ouro perdida, em que as pessoas eram encorajadas a encontrar a si próprias de modo pleno, mas por mais sedutor que pareça isso dificilmente aconteceria. A sociedade sempre dependeu de as pessoas serem previsíveis; isso cada vez mais é assim. Por exemplo, atualmente a sociedade nos Estados Unidos exige cada vez mais anos de escolaridade de seus potenciais empregados da classe média. O pensamento predominante é que qualquer pessoa que realmente queira obter e manter um emprego decente, com perspectivas e benefícios médicos, deve completar 12 séries de escola e cinco anos (a média nacional) de um diploma de bacharelado. Podemos acrescentar a isso dois anos de mestrado, além de vários seminários de treinamento para nossos professores, profissionais médicos e administradores de alto nível. Considerar eficiente esse longo processo, ou julgá-lo um enorme investimento desnecessário numa instituição social, importa menos do que o fato de um jovem mestre de 28 anos ter passado talvez 19 ou 20 desses anos sendo escolarizado. É inevitável que essas pessoas aprendam a se conformar tanto ou mais do que as pessoas teriam feito em sociedades anteriores, sob as pressões exercidas pela igreja ou pelo governo. Qualquer estudante que tenha empréstimos a pagar sabe que tem de se ajustar e ganhar dinheiro, para honrar seus compromissos. Muitas pessoas não têm a opção de emergir de sua educação e ser capazes de fazer experiências com as possibilidades da carreira. As dívidas forçam muitos entre nós ao *status* de Órfão imediatamente.

Talvez tudo o que se possa dizer é que aqueles que optam por questionar a ordem vigente têm sido, em geral, uma minoria, e isso em si pode, em parte, explicar por que, depois de todos esses milênios de história humana, ainda estamos todos confusos a respeito de quem deveríamos ser; sem falar do que poderia significar o Amor. Não foram muitas as pessoas a questionar a ordem aceita com coragem e determinação.

Pontos a considerar:
A rejeição como um modo de vida

O Peregrino pode parecer do contra, pronto a rejeitar, frio e perdido; conforme vimos, o que realmente ocorre é uma profunda busca por significado. O Peregrino pode buscar, ardentemente, o amor e então sentir que deve rejeitá-lo ou testá-lo de tal maneira que o parceiro fica tentado a desistir. Isso pode ser uma tortura para todos os envolvidos. Às vezes, o Peregrino simplesmente parece zangado com o mundo, uma vez que está à procura de valores mais significativos, e parece não conseguir encontrá-los com suficiente rapidez.

As pessoas tenderão a querer "resolver" o Peregrino, tornando-o um Órfão adotado. Os homens, em geral, parecem querer "domesticar" mulheres de forte individualidade, por exemplo, e as mulheres instigam os homens a "sossegar". Contudo, um verdadeiro Peregrino sempre irá ansiar pelo crescimento espiritual.

Um exemplo desse desejo de "domesticar" é talvez o que acontece quando a polícia ou as forças autoritárias tentam restringir os protestos zangados das pessoas. Quando pessoas descontentes encontram aqueles que desejam silenciá-las, conforme elas os veem, pode até mesmo ocorrer sérias batalhas. Cada um dos lados reage ao outro de um modo previsível. E assim podemos dizer que o repressor ajuda a criar o rebelde, assim como este ajuda a criar a reação repressiva. Não existe realmente diferença entre eles. Esse é um exemplo de quão facilmente o Peregrino, com toda a coragem questionadora à sua disposição, pode ser tragado para a posição de mero adversário, que garante um beco sem saída. Pode parecer se tratar da ação do Guerreiro-Amante, mas de verdade não é. O Peregrino que é apanhado nessa dança tem muito maior probabilidade de recair no estágio do Órfão, demonizando a oposição, tramando contra ela e aceitando a ortodoxia rebelde. Que pena! Afinal de contas, o importante em relação ao confronto com a autoridade de opiniões conflitantes não é lutar contra ela; isso seria simplesmente entrar no jogo dela, um jogo que ela domina muito bem. A questão é persuadi-la a fazer as coisas de maneira diferente, de encorajá-la a pensar. A estratégia de não violência de Gandhi era exatamente isso: ela realmente fez as pessoas questionarem o que estavam fazendo e seus motivos.

Consideremos esse exemplo em um nível mais doméstico. A jovem que é persuadida por seus pais controladores a casar com o executivo em ascensão, sem sentir uma afinidade real com o jovem, teria razão de sentir raiva, sentir-se presa numa armadilha e perturbada. Em um caso, conheci uma mulher que se sentia pressionada por todos a se casar com o namorado contador, embora não o considerasse realmente comprometido com o crescimento pessoal, segundo as necessidades dela. Ela se esforçou para que ele enxergasse as coisas como ela, e ele igualmente tentou respeitar o ponto de vista dela, enquanto, ao mesmo tempo, se aferrava à sua noção do que era importante. Os desacordos tornaram-se cada vez menos amorosos e, quando eles se separaram, a mulher, como reação, começou uma série de aventuras com pessoas que não eram páreo intelectual para ela. Ela via como inimigos a sociedade convencional e o desejo por riqueza. Muitos anos depois, teve um filho com um homem do Tibete, com quem ela não tinha nem a língua em comum; quando engravidou de uma segunda criança, ela descobriu que ele era tão controlador como as situações que ela julgava ter deixado para trás. Ele não permitia que ela partisse. Ele a ameaçava. Finalmente, conseguiu fugir com seus filhos. E, de repente, ela estava de volta à sua casa, sendo sustentada por seus pais, em constante conflito com eles e suas atitudes.

Triste cenário. Então, o que aconteceu? Creio que poderíamos dizer que a mulher era um Peregrino emergente que cometeu o erro de definir a si própria, depois de uma grande desilusão amorosa, como alguém que estava em oposição aos outros. Uma vez tendo escolhido esse papel, ela sentiu que deveria vivê-lo; e sempre que vivemos reagindo aos outros, ou a nossa percepção dos outros, tendemos a parar de pensar. Nesse momento podemos recair na Orfandade. É isso o que fez aquela jovem, literalmente, à medida que se tornou dependente dos pais novamente. Com o drama que ela criara à sua volta, e com duas crianças para cuidar, ela não tinha tempo de olhar a sua situação de fora e perguntar-se como aquilo chegara a acontecer. Considerava-se um "fracasso", em vez de conseguir se ver como um Peregrino sem direção, de maneira temporária; desse modo, ela se tornou amargurada. Apegou-se aos seus erros e à natureza aparentemente sem esperanças de sua situação. Com essa disposição mental é muito difícil voltar a ser um Peregrino, uma vez que ser um Peregrino é sempre um ato de otimismo e nunca um ato de entrega.

Espero (tenho esperanças) que essa mulher reencontre seu estado de Peregrino e seja capaz de superá-lo. No momento, entretanto, há obstáculos consideráveis para ela. Ela precisa acessar esse ego observador novamente, de modo que possa ver a si mesma e a sua situação de uma nova maneira.

Os Peregrinos podem interromper suas peregrinações durante vários anos dessa maneira, especialmente quando estão criando filhos. Algumas pessoas – poucas – conseguem seguir suas peregrinações observando seu crescimento espiritual *enquanto pais ou mães*. Isso é muito difícil para quem tem empregos e prestações de hipotecas, ou quem está vivendo de salários inadequados e tentando alimentar e vestir os filhos ao mesmo tempo.

Assim, podemos ver que o Peregrino inquieto pode ser um problema, pelo menos por um tempo. O pai ou mãe que é um Peregrino inconsistente pode causar enorme quantidade de estragos, se permitir que suas frustrações extravasem na educação de seus filhos de um modo descontrolado. Uma mãe ou pai zangado, deprimido, não realizado e ressentido está mostrando um modelo de conflito, e as crianças são sensíveis às maneiras como os pais tratam *a si mesmos*. Elas veem isso e fazem o mesmo com suas próprias psiques.

No quarto:
O espírito inquieto

O Peregrino pode ser, de algumas maneiras, o mais ansioso dos amantes, uma vez que sabe que está em uma busca (mesmo não tendo ainda certeza sobre o que está buscando) e está tão perturbado pela incerteza. É com esta pessoa que eu realmente quero estar? E se eu estiver cometendo um engano? E se existir alguém melhor? Esses tipos de dúvidas podem ser saudáveis, mas tendem a ter um efeito inibidor na atividade lúdica livre e irrestrita que é o sexo em seu aspecto mais expressivo e realizador. O Peregrino pode parecer arrojado em termos sexuais, contudo isso pode acontecer porque, enquanto Peregrino, ele quer tentar novas possibilidades, novas posições, novos brinquedos, caso lhe falte alguma experiência. Embora isso possa ser divertido, o importante não é o que fazemos, mas o espírito com que o fazemos. As experiências sexuais podem ser gratificantes e agradáveis, mas não se implicar trair nosso parceiro, por exemplo, ou tratar o afeto da outra pessoa como algo descartável.

Às vezes, o Peregrino pode estar tanto em seus próprios pensamentos que o sexo não chega a acontecer, ou é superficial. Quando isso ocorre, podemos ver uma contradição interna representada, porque o Peregrino anseia por uma ligação apaixonada na qual ainda não consegue acreditar, de modo que terá de tomar a decisão de entrar num estado de sexualidade amorosa. Quando somos jovens e os hormônios funcionam de modo intenso, é claro que isso não é difícil de conseguir, e assim o Peregrino tem uma responsabilidade real de ouvir a si mesmo com honestidade, ou se arrisca a causar uma dor considerável para si mesmo e aos outros. Especialmente para os Peregrinos do sexo feminino, pode ser difícil sentir prazer no sexo; as mulheres podem ter dificuldades em atingir o orgasmo. Isso acontece, na maioria dos casos, porque a mulher não sente uma ligação convincente com o seu parceiro, e assim não consegue relaxar o bastante para apreciar o amor e o sexo.

Em termos históricos, esperava-se que o Peregrino permanecesse celibatário durante toda a peregrinação e, de fato, algumas pessoas no estágio do Peregrino abrem mão do sexo. Conforme disse uma mulher: "Eu não faria sexo e teria um parceiro apenas com a finalidade de não ficar sozinha. Ou eu encontro alguém a quem eu possa realmente amar, ou vivo como uma freira". É aqui que o indivíduo começa a compreender a diferença entre libido e o desejo real. A libido (o apetite sexual básico) começa a parecer insatisfatória, a menos que possa ser associada a um vínculo emocional mais profundo. Isso é difícil para o Peregrino, que ainda não definiu seus valores pessoais; assim, o vínculo é algo que ele ou ela considera suspeito. Dois Peregrinos, quando se encontram, talvez estejam buscando uma associação de almas. Mas é muito possível que tenham diferentes impressões acerca do que julgam ser suas necessidades; portanto, eles tenderão a não confiar no que sentem. Às vezes, esse tipo de luta diz respeito a como cada pessoa deseja dirigir sua energia ou recursos pessoais. Por exemplo, talvez uma delas queira comprar uma casa e a outra ainda não sabe para qual cidade a sua carreira vai conduzi-la; assim, a última se opõe a qualquer compra ou sabota o processo em silêncio. A luta externa pode ser a respeito da casa, mas esta não deixa de ser uma metáfora em que cada parceiro está tentando escolher onde investir a totalidade de seu amor. Ambos podem desejar crescer e explorar aspectos de si mesmos no relacionamento, mas cada um pode terminar percebendo o outro como um impedimento. No momento exato em que, mais do que nunca, eles se assemelham, eles podem decidir se separar.

Em contrapartida, para o Órfão o prazer é o principal objeto, e tudo o que der prazer é muito valorizado. O Órfão desequilibrado, é claro, somente pensa no prazer físico, e assim é fácil ele se confundir acerca do que favorece um forte relacionamento. O Órfão equilibrado procura o prazer físico combinado com o emocional, e é bastante possível que isso seja encontrado por dois Órfãos. Dois Órfãos equilibrados podem considerar seu vínculo adequado, embora talvez não seja a ligação realmente vital pela qual o Peregrino anseia. Eles podem "dar-se" bem e parecer contentes. O Peregrino, entretanto, começa a exigir mais. A libido e o simples desejo por sexo se tornam insatisfatórios, porque parecem estar separados de um vínculo real, igual, emocional. Essa insatisfação não será resolvida, até que o Peregrino se torne um Guerreiro-Amante.

Explorando a energia do arquétipo

Para entrar em contato e explorar a energia do Peregrino, sentindo-a plenamente, vamos pensar em como é estar numa viagem. O Peregrino é um viajante que quer chegar a um destino. Pensemos numa ocasião em que iniciamos uma viagem que terminou bem. O que levamos? Foi difícil de embalar? Carregamos coisas de mais ou de menos? Como decidimos o que incluir? Pensemos nisso por um momento. Façamos uma lista. Em alguma medida, as coisas que levamos conosco representam os valores que nos são caros, valores que esperamos ver endossados pela experiência. Se levamos roupas de festa, o divertimento social pode ter sido um valor importante e uma parte de nós mesmos a ser explorada. Caso tenhamos levado um equipamento para caminhadas, isso indica um desejo por um tipo diferente de experiências. Às vezes algumas pessoas saem de viagem, ou de férias, e voltam dizendo: "Eu desejo mais disso em minha vida!". Às vezes, elas dizem exatamente o contrário. Elas terão aprendido algo sobre si mesmas, em cada um dos casos. Cada viagem contém algum aspecto de peregrinação. O que você pode aprender a partir das suas?

Quando pensarmos em viagens, devemos também nos perguntar como lidamos com os problemas no caminho. Uma das melhores maneiras de acessar a energia do Peregrino é concentrar-se em uma viagem que nos exigiu fisicamente. Como nos sentimos ao subir uma dada encosta? Como nos sentimos quando chegamos no topo da montanha? Como lidamos com aqueles que disseram que nossa rota era tola? Quer fosse uma escalada de vinte milhas até o pico de uma montanha, uma viagem de três dias pela estrada, quer a busca por algo realmente almejado numa feira de antiguidades, isso faz pouca diferença. A questão é que enfrentamos obstáculos e fizemos as coisas à nossa maneira.

Para evocar essa energia, algumas pessoas guardam fotos de si mesmas em picos elevados de montanhas, ou instantâneos de suas participações em maratonas, triatlo, canoagem, ou segurando peixes grandes, ou o que quer que seja. Algumas têm mapas em suas paredes, outras guardam lembranças de lugares remotos. Um homem com quem trabalhei tinha o casco de uma pequena tartaruga enfileirada em contas, que ele trocou por um velho casaco de *tweed* com um bosquímano do Kalahari, num ponto remoto do deserto. Eu tenho um guia para a Índia, imundo e em pedaços, em minha prateleira de livros; cada vez que eu o toco e abro suas páginas, lembro-me daquela viagem de três meses e evoco a determinação e a energia do Peregrino em meu interior. Lembro-me da terrível pobreza que testemunhei, as viagens exaustivas em vagões de terceira classe, em meio a um calor entorpecedor, e os extraordinários templos e obras de arte; todas essas coisas me desafiaram a refletir sobre a pessoa que eu pensava que era, o que nem sempre foi uma experiência tranquila.

Entretanto, só podemos sentir essa energia quando permitimos a nós mesmos o espaço e o tempo para recordar a experiência com detalhes. Talvez seja preciso meditar sobre ela. Às vezes, pode ser útil tentar explicar nossas motivações para outra pessoa, especialmente quando somos saudados com um "Por que alguém desejaria fazer *isso*?". O importante é sentir a energia e desfrutar dela.

O Peregrino no Tarô

A carta do Peregrino é também chamada O Eremita, o que não é um bom sinal para quem deseja uma relação íntima com alguém vivendo esse arquétipo! A própria imagem é um aviso. O Eremita geralmente é retratado carregando uma lâmpada, o que costuma ser interpretado como a sua busca pela iluminação interna. Ou podemos considerá-la como as limitações de caminharmos à noite, quando apenas conseguimos enxergar alguns passos à frente, que é uma outra imagem poderosa do modo de funcionar do Peregrino, sem um plano desenvolvido de longo alcance. Às vezes, o Eremita é retratado usando um capuz e as vestes de monge, e isso, como acontece com todos os detalhes no Tarô, não é acidental. O Eremita pode estar "coberto", ocultando a sua identidade real (pense na Cinderela), e também limitado em sua capacidade de ver o quadro todo, por não conseguir olhar para os lados com facilidade. A simplicidade do hábito de monge indica uma concentração em riquezas internas, e não na exibição. É pouco provável que os verdadeiros peregrinos se interessem muito por roupas. Também vale notar que o Eremita está caminhando. Não há cavalos nem carruagens! Outras figuras no Tarô têm carruagens e cavalos, mas o Peregrino tem de fazer o trabalho dos pés por si próprio. Não existem atalhos – ele tem de olhar para as coisas por si próprio, em primeira mão.

Devemos notar que o Eremita talvez não esteja em nenhum tipo de peregrinação física. Mesmo assim, a vida contemplativa sempre envolve uma jornada interior; portanto, essa figura está no processo de exploração espiritual. Podemos ser Peregrinos sem sair, fisicamente, de nossa vizinhança.

A carta do Eremita é uma das poucas que retratam uma cena noturna. Enquanto o Peregrino está buscando, pensando, questionando, ele é incapaz de ver o que seria óbvio em plena luz do dia. Ainda não iluminou plenamente o seu caminho; e assim como podemos nos sentir mais sozinhos, mais frágeis e menos seguros quando estamos no escuro, da mesma maneira a vida se parece ao Peregrino. Ele, portanto, tem de aprender a confiar em seu sentido interior de força, exatamente como fez Cinderela. Talvez seja por isso que o Peregrino é retratado com um bastão, já que ainda não é forte o bastante para passar sem isso. Isto nos é sinalizado também de uma outra maneira, porque a carta seguinte do baralho é a carta "A Força", número 8. A sugestão parece clara: quando puder acessar sua força de espírito, o Peregrino pode se transformar no Guerreiro-Amante.

Até agora o nosso percurso pelo Tarô se fez num sentido decrescente em termos de numeração (desde as cartas de número mais alto até as de número mais baixo em sequência) e crescente em termos de valores. Isso continuará assim. E esse é um outro fator que sugere que o Tarô é uma versão mais complexa dos seis arquétipos, quebrados em figuras individuais, os seus opostos, e as qualidades com as quais elas têm de chegar a um acordo. No entanto, as ideias básicas são essencialmente as mesmas.

Exemplos na vida real e nos filmes

Em nosso mundo cotidiano pode ser difícil identificar os Peregrinos, porque nem sempre eles fazem coisas que os destaquem como pessoas que passam por mudanças. Bill Gates, durante muitos anos, era simplesmente um homem de negócios muito rico, até que, em certo ponto, ele começou suas obras beneficentes. Ele era, de fato, um Monarca no mundo dos negócios, mas quando começou a utilizar seu dinheiro extra para ajudar a erradicar a malária, por exemplo, fez a transição para o homem que havia encontrado uma causa pública pela qual lutar. Talvez ele parecesse um pilar de determinação e esforço, mas na verdade era um Peregrino, investigando como utilizar seus talentos para beneficiar os outros. Por ser um indivíduo tão bem relacionado e em destaque, ele conseguiu causar um grande impacto na mesma hora. Uma vez estabelecido em sua missão, foi mais fácil para ele atingir o nível do Monarca. A sua experiência nos faz lembrar que, por mais sucesso que uma pessoa tenha, este talvez não expresse a plena influência que poderia exercer. Bono, do U2, estava na mesma situação. Ele teve um tremendo sucesso em uma área da vida, antes de decidir usar a sua posição e poder para ajudar os mais pobres entre os pobres. Enquanto astro de rock bem-sucedido, ele trabalhava dentro dos limites esperados de um artista; quando se tornou um filantropo, radicalizou, indo além das fronteiras geográficas e culturais costumeiras.

Vale a pena observar pessoas influentes, como essas, para ver se elas se movem além de sua zona de conforto. Continuo esperando que Paris Hilton se torne mais do que ela é no momento. Quando ela foi condenada à prisão (onde serviu por alguns dias e não algumas semanas) eu me perguntei se ela sairia de si mesma e passaria a pensar de modo diferente. Essa foi sua descida ao inferno, por assim dizer. Houve um alvoroço de excitação na imprensa quando foi noticiado que ela "encontrara Deus". Até agora parece ter sido uma criação ilusória de fatos; ela parece não ter alcançado ainda o estágio de Peregrino.

São frequentes os exemplos nos filmes. Pense em *Dança com Lobos*, de Kevin Costner,[3] que ganhou sete prêmios da Academia. Costner representa o tenente John Dunbar, um oficial do exército da Guerra Civil, cuja perna ferida será amputada. Em vez de se submeter a isso, ele monta em seu cavalo e cavalga entre as linhas inimigas, esperando ser morto. A sua cavalgada provoca um tiroteio que leva a empate forçado, e os soldados da União vencem a batalha subsequente. Costner é saudado como um herói, obtém um tratamento médico apropriado do próprio médico do general e recebe o posto que desejava. Ele pede para ser enviado à fronteira de Dakota. Talvez ele seja um herói no nome, mas é por puro acidente, e quando chega ao forte abandonado, torna-se, certamente, um Órfão. Enquanto está lá, faz amizade com os índios *sioux* locais e, aos poucos, fica mais apegado a estes do que ao exército. Todo esse tempo ele foi, de fato, um Peregrino, em busca de algo em que acreditar. E ele acaba encontrando no respeito que sente pelos *sioux*. Quando casa com De Pé com Punho (que é europeia, mas havia sido criada como uma *sioux* adotada), ele está declarando a sua lealdade não apenas aos *sioux* mas também a tudo o que é amoroso e melhor nos seres humanos, a despeito de sua raça ou identidade. Ele se torna um verdadeiro Guerreiro-Amante e assim se coloca em nítido contraste com os soldados nada heroicos que querem puni-lo como desertor. Ele se afasta da luta e da tribo, por reconhecer esse ato como a melhor esperança que eles têm de paz.

Os Peregrinos podem estar à nossa volta sem serem reconhecidos, uma vez que se encontram num estado de vir a ser, e não num estado de ser. Às vezes, nem eles próprios sabem disso. O personagem de Costner julga que está apenas sendo curioso quando, de fato, está refazendo toda a sua vida moral. O seu caderno de anotações, no qual ele registra com cuidado as maneiras dos *sioux,* é apenas o sinal mais evidente de que ele é realmente um explorador e investigador, alguém que procura o entendimento. Enquanto observa o outro, ele também repensa a si mesmo.

Notas

1. *Cinderela* foi contada em muitas formas. O texto mais útil está em *The Complete Grimm's Fairy Tales*, op. cit., história # 21, pp. 121-28.
2. *Iron John,* ibid. # 136, pp. 612-20. Ver também Bly, Robert, *Iron John: A Book About Men* (Nova York: Addison-Wesley, 2004).
3. *Dances With Wolves,* dirigido por Kevin Costner, 1990.

Capítulo 7
O Guerreiro-Amante

O estágio do Guerreiro-Amante é mais facilmente descrito como aquele em que a pessoa decide pelo que lutar, já que só podemos lutar de todo coração por aquilo que realmente amamos, e só se pode amar plenamente algo, ou alguém, quando vale a pena lutar por isso.

Uma das descrições mais antigas do Guerreiro-Amante está na peça de Sófocles, *Antígona*.[1] Esta peça antiga ecoou através dos séculos e foi reescrita diversas vezes nesse processo. Está claro que ela articula algo importante para gerações sucessivas, e que o tema de erguer-se contra a tirania e lutar por algo que consideramos correto nunca sairá de moda.

Antígona[2] aparece no palco já sabendo que enfrenta uma situação impossível. Ela deve enterrar o corpo de seu irmão morto, ou se arriscará à ira dos deuses, que exigem que os membros da família enterrem os seus mortos. Entretanto, se ela o fizer, arrisca-se a ser condenada à morte pelo rei, Creonte, que era inimigo de seu irmão. Antígona não se queixa aos deuses nem protesta. Ela já tomou a decisão acerca do que deve fazer (por ser a coisa correta e não porque a lei obriga). Prefere enfrentar a raiva de um rei a ofender os deuses. A situação é duplamente complicada porque ela é prometida a Hêmon, filho de Creonte; assim, se decidir ficar contra Creonte, ela deverá sacrificar seus próprios planos de casamento. Literalmente órfã, Antígona poderia adotar o papel do Órfão e apenas aceitar o que o seu futuro sogro decreta; mas para fazer isso ela teria de desistir de sua noção do que é moralmente correto.

É impossível deixar de notar a devoção de Antígona ao que é certo segundo os padrões mais elevados e, quando descobrimos que Hêmon a apoia em sua escolha moral, podemos ver que ela está num relacionamento amoroso, encorajador e corajoso. Sófocles mostra que o Guerreiro-Amante deve equilibrar a força e a bondade amorosa, o masculino e o feminino dentro de seu eu, e que esse equilíbrio, de maneira nenhuma, torna o arquétipo fraco ou indeciso. Creonte é vaidoso demais para conseguir escutar os motivos de Antígona, ou as objeções do próprio filho, escolhendo sentir-se pessoalmente ofendido por quem não o respeita como rei, segundo ele julga. Sua disposição para a vingança o marca como uma pessoa de espírito mesquinho, um Órfão que se esconde sob seu título. Ele ordena que Antígona seja emparedada viva, um outro tipo de sepultamento. Os Creontes deste mundo estão sempre tentando calar os dissidentes. Horrorizado com essa punição, o filho de Creonte corre até o túmulo e chega tarde demais para impedir que Antígona se enforque, e então ele também mata a si mesmo depois de ter quase matado Creonte. Creonte perde seu filho e sua futura nora (e com isso suas esperanças dinásticas); em consequência disso, sua esposa se mata e completa o isolamento dele.

A história pode ser vista como o confronto entre uma vida baseada em princípios e a vaidade, e também pode ser vista como o que acontece quando o arquétipo do Guerreiro-Amante não é livre para se expressar. O resultado é uma sucessão frustrada. Antígona e Hêmon são equilibrados como masculino e feminino, e nenhum deles carece de coragem ou resolução, o que mostra que cada um é equilibrado em si mesmo. Ambos discutem com Creonte de modo respeitoso, mas com vigor, solicitando com insistência compaixão e alguma flexibilidade, e Creonte acaba se mostrando muito mesquinho, uma vez que prefere ter a sua vingança no cadáver já em decomposição do que considerar qual era a situação naquele local e momento para as pessoas vivas afetadas.

Embora Antígona não tenha obtido o sucesso triunfante tão querido de Hollywood, o seu fracasso é estimulante e magnífico, o que nos deixa reconhecer o poder do exemplo, mesmo quando ele não vence. O nome Antígona, desde então, tornou-se uma máxima de coragem em nossa cultura. Uma pessoa pode amar seu companheiro e, não obstante, ainda tem de fazer o que é correto, em última análise.

Para entender melhor os desafios enfrentados pelo Guerreiro-Amante, nós podemos também examinar o caso de Édipo.

Na peça *Édipo Rei*, Édipo é um Órfão que foge para a estrada como um Peregrino. Uma vez que a profecia diz que ele matará o seu pai e casará com sua mãe, ele está desesperado para evitar isso. Um Órfão passivo simplesmente daria de ombros e aceitaria esse fato. Em Édipo isso causa repulsa e ele foge para encontrar uma vida realmente própria (motivações de um verdadeiro Peregrino). Em um local onde três estradas convergem, ele encontra seu verdadeiro pai desconhecido; os dois começam uma briga e ele o mata. Ele então se casa com sua mãe, a viúva do homem morto.

A frase crucial é "onde três estradas se encontram". Três estradas oferecem três escolhas: voltar ou seguir por uma das direções. Édipo toma a direção que leva à violência. O seu pai desconhecido, o rei Laio, é aquele que inicia a luta, tentando açoitar

Édipo para fora da estrada. Mas seria realmente necessário matar o rei e seu séquito? Laio era um rei, e os reis geralmente são cheios de si. A resposta de Édipo é uma afronta pessoal, baseada no ego. "Ninguém trata a *mim* desta maneira", ele parece dizer. Ele entra no domínio do Guerreiro, mas não no domínio do Amante, e ao adotar a violência, alimenta seu próprio senso de orgulho, em vez de tentar chegar a algum entendimento. Assim, Édipo se torna um pseudoguerreiro e, uma vez que realmente mata seu pai biológico nesse encontro, ele, sem saber, se torna um Órfão real.

Há muitas pessoas que, como Édipo, pensam que as ações decisivas, violentas e baseadas no ego as tornam Guerreiros-Amantes quando, na verdade, essas escolhas erram o alvo inteiramente e as levam apenas à Orfandade. As figuras públicas tendem a ser os exemplos mais óbvios disso. Donald Trump, naquele estranho show de TV *The Apprentice*,[3]* assume o papel do magnata de negócios todo-poderoso que despede as pessoas diante da menor provocação, mas não se pode dizer que ele próprio seja um homem de negócios de muito sucesso, dando a impressão de ser uma pessoa afetada e bastante superficial. O *show* é uma horrível paródia das práticas verdadeiras de negócios; menciono isso porque parece que muitas pessoas o julgam correto. É presumível que elas aspirem a ter esse tipo de vida; não obstante, elas não têm nenhuma ideia do que é exigido de um verdadeiro Guerreiro-Amante.

Um outro exemplo é ainda menos lisonjeiro. O presidente George W. Bush pode ou não ser um grande homem, mas ele apareceu com o equipamento completo de voo no banco de um bombardeiro a jato que havia acabado de aterrissar a bordo de um porta-aviões americano, onde a placa "Missão Cumprida" estava dependurada de maneira saliente. Isso há muito tempo tem sido considerado um ato de arrogância, o tipo mais óbvio de manobra de relações públicas. Muitos anos depois, a guerra no Iraque ainda está em desenvolvimento e muitas pessoas se perguntam se alguma coisa foi "cumprida". A atitude de Bush o coloca como o pior exemplo de maneira de buscar a glória. Ele e seu partido têm tido dificuldades em apagar o passado. O verdadeiro Guerreiro-Amante não fica bancando o valentão num parque de diversões.

Voltando a um outro pseudoguerreiro, vamos lembrar que Édipo, depois de ter matado seu pai, resolve o enigma da Esfinge e, sentindo-se bem em relação a si próprio, casa com a viúva Jocasta, na verdade a sua mãe. Embora esse possa ser um casamento baseado em atração, certamente não se trata de uma atração saudável! Jocasta poderia ser vista como uma dessas mulheres de nível social alto que reivindicam

---

* *The Apprentice* é um *reality show* da tevê norte-americana em que executivos competem por uma posição em uma das empresas de Donald Trump, apresentador e produtor do programa. (N.T.)

homens de nível social alto como parceiros. Mas no que diz respeito às suas qualidades internas, não existem muitos indícios de que Jocasta tenha feito alguma outra coisa além de casar com um rei e depois casar com outro.

A sugestão é clara: se alguém aspira a ser um Guerreiro-Amante, então deve escolher um companheiro para a vida que tenha um desenvolvimento pessoal equivalente, e não apenas a posição social. Todos esperavam que Édipo se casasse com Jocasta, então ele o fez. Isso me faz lembrar de todas as famílias boas e prósperas, com excelentes ligações, que casaram seus filhos e filhas exatamente da mesma maneira, às vezes com resultados infelizes. Jocasta é uma esposa-troféu. Devemos lembrar que, quando a verdade veio à tona a respeito de quem era Édipo, ela se matou. É uma forte sugestão de que ela não possuía os recursos internos para lidar com a desonra pública e talvez encontrar a sabedoria por meio do trabalho duro; ela preferiu morrer. Em comparação, Édipo cega a si mesmo, o que é simbólico de sua necessidade de olhar para dentro, e assim a sua busca por um sentido interno (a tarefa do Peregrino) pode realmente ter início.

A transição do Peregrino para o Guerreiro-Amante é arriscada, e o exemplo de Édipo nos conta exatamente como podemos nos enganar e pensar que tivemos êxito quando, na verdade, isso não ocorreu. O exemplo de Antígona nos revela que temos de estar preparados para a derrota se escolhermos esse caminho, e que existem algumas coisas mais importantes do que preservar a própria pele. Para a maioria de nós, é improvável que isso signifique que, de fato, arriscaremos a vida, embora talvez tenhamos de arriscar nossas carreiras, caso nossos valores entrem em choque com o que o mundo lá fora parece determinado a fazer. Repórteres e autores de notícias corajosos costumam se deparar com isso em sua luta para apresentar a verdade; um exemplo é a luta entre o senador Joseph McCarthy e o âncora de TV, Ed Murrow.

A necessidade de equilibrar os aspectos de Guerreiro e Amante é acerbamente retratada na magnífica tela de Botticelli, *Vênus e Marte*,[4] pintada em 1485. Na pintura, Marte está recostado e profundamente adormecido, talvez exausto após um dia difícil de luta, a armadura espalhada à sua volta, ou talvez ele tenha desmaiado depois de fazer amor. Vênus senta com ar de tédio, e é evidente o seu desapontamento porque o deus viril da guerra não está mais atento a ela. Podemos ver Marte como o clichê do homem que faz sexo e vai dormir em seguida, ignorando a mulher, depois de ter obtido o que quis. É claro que não há certeza de que eles fizeram sexo. Vênus está usando roupas em demasia e nada parece indicar que ela acabou de ter uma relação sexual selvagem e satisfatória. Por outro lado, as roupas de Marte são mínimas. Sejam quais forem nossas considerações acerca do que aconteceu entre os dois, é certo que não estão em consonância amorosa no quadro. É possível que essa pintura fosse apenas uma desculpa para pintar uma mulher e um homem muito belos, mas talvez ela transmita outras coisas também. Não é necessário um grande salto de imaginação para ver na pintura as esposas entediadas da Itália, sentindo-se negligenciadas por seus maridos poderosos, mas obcecados por política, da época. Da mesma maneira, as mulheres-troféus de hoje não são companheiras verdadeiras, mas acessórios de um jogo baseado em ostentação e aquisição de bens. Também podemos ver o quadro como o fracasso de homens e mulheres em compreender uns aos outros e trabalhar juntos. Essa tela notável nos oferece uma imagem memorável do Guerreiro desequilibrado, que não consegue entrar em contato real com o Amante. Quando o aspecto de Amante não está vinculado ao empenho resoluto do Guerreiro, o Amante se torna meramente um sensualista, e o Guerreiro cai no papel do lutador inquieto. Cada metade do arquétipo necessita da outra.

Se optarmos por permitir que a pintura nos influencie, ela é um dos mais fortes apelos que conheço pela necessidade de que esses dois opostos se unam. Na época em que Botticelli pintava, a Itália estava dilacerada por conflitos armados de todos os tipos, que transformavam as comunidades em campos de batalha. Era também uma sociedade que amava o luxo e a condescendência sensual. E assim havia aqueles que lutavam de maneira bárbara apenas com o objetivo de satisfazer a si mesmos, os dois aspectos do arquétipo que permanecem alienados um do outro. É uma pintura comovente, plena da tristeza do vínculo fracassado, alegórica dos males de sua sociedade, e da nossa também.

Uma história semelhante é relatada de uma maneira diferente no romance de George Eliot, *Daniel Deronda* (1876),[5] quando o casamento de Gwendolyn Harleth com um próspero aristocrata parece ser o exato casamento dos contos de fadas; não obstante fica evidente a ausência de amor entre os dois. Em vez disso, é a união de Daniel com a paupérrima Mirah que mostra duas pessoas unidas na crença religiosa e no propósito moral, bem como na atração mútua. Eliot visita o mesmo território em *Middlemarch*,[6] quando Dorothea Brooke se casa com o clérigo e promissor erudito Casaubon. Ela descobre que ele a deseja como assistente em suas pesquisas acadêmicas, e que não a ama de modo algum. No entanto, toda a população da cidade considera esse um casamento brilhante. Quando Casaubon morre, e Dorothea descobre que ama Will Ladislaw, ela decide se casar com ele, apesar da perda da enorme herança, a qual, por condição determinada por Casaubon, seria sua se permanecesse solteira. Eles se casam por amor e também porque esse amor é baseado na consciência de sua ideia de obrigação social, de melhorar a condição dos menos afortunados que eles. No amor mútuo que sentem, Will e Dorothea finalmente conseguem apoiar as visões mútuas de um mundo melhor, e estender as suas naturezas amorosas de maneira produtiva e útil, com o objetivo de beneficiar a comunidade mais ampla. Eles se tornam lutadores pacíficos pelo progresso. O amor e um compromisso social mais amplo são as marcas registradas do Guerreiro-Amante.

George Eliot reforça esse ponto criando outro par de amantes na história: o doutor Lydgate e Rosamond Vincy. Ele é brilhante e quer fazer boas ações; ela é linda e ambiciosa em termos sociais. Eles se casam e o arquétipo do Amante é, por um tempo, forte neles. Entretanto, à medida que o tempo passa, descobrimos que Lydgate trabalha cada vez mais tempo com pacientes ricos, para garantir que sua esposa tenha o conforto de que necessita, e cada vez menos tempo contribuindo para o progresso da medicina, que é o seu interesse real. Lydgate chama sua mulher de sua pequena planta de manjericão, por causa do poema de Keats, *Isabella*. Como deviam saber os leitores de Eliot naquela época, Isabella coloca a cabeça cortada de seu amante assassinado, com quem ela não tinha a permissão de casar, num pote e planta manjericão em cima. Lydgate, quando perguntado por que chama sua esposa de manjericão, responde que o manjericão se alimenta do cérebro dos homens mortos. É uma resposta chocante. Ele vê como a sua esposa havia destruído as suas ambições, contudo não parece ser capaz de mudar isso de nenhuma maneira, uma vez que já se considera morto. Esse é um exemplo comovente do Guerreiro-Amante que não consegue atingir o equilíbrio ou a compreensão, porque o Amante sexual teve a permissão de dominar o Guerreiro. Lydgate havia descido ao nível do esposo que culpa a sua mulher por todas as coisas, e isso o coloca de modo firme no estágio do Órfão. A fascinação sexual pode deixar o arquétipo desequilibrado; assim, a qualidade da qual devemos ter consciência aqui é a necessidade do Guerreiro de definir limites pessoais. O Guerreiro-Amante pode requerer equilíbrio, mas é um arquétipo que exige a ferocidade do Guerreiro para que esse equilíbrio seja mantido de maneira adequada. É isso o que vemos em Antígona. Ela simplesmente não cederá em relação a alguns pontos importantes.

Se quisermos entender como atua o Guerreiro-Amante, podemos considerar as imagens que temos de homens e mulheres que lutam e usá-las como metáforas, que refletem uma realidade espiritual. É possível fazer o mesmo com a imagem do Amante.

Em nossa cultura, o soldado é visto como disciplinado, treinado, altamente prático, conhecedor de todo tipo de equipamento bélico, e supõe-se que ele, ou ela, seja um indivíduo inabalável. Em quase toda história ou filme sobre o exército, há um ponto em que o Guerreiro tem de fazer um balanço do armamento que possui e decidir como usá-lo. Em geral, isso ocorre um pouco antes do clímax, que é o confronto com o inimigo. A arma secreta é preparada, a espada é afiada e os cavalos que serão utilizados na batalha recebem uma porção extra de aveia. Nos romances medievais de cavaleiros e donzelas, isso é chamado de "armar o cavaleiro" e costuma ser descrito com amor aos detalhes. É uma convenção que sobrevive hoje em Hollywood. Por exemplo, em *O Resgate do Soldado Ryan*, a pequena tropa de soldados americanos examina o conjunto de seus armamentos e decide a melhor forma de utilizar seus recursos e habilidades. Na condição de cena que evoca no público o perigo de sua situação, isso dá certo. Mas existem outras reflexões. Vamos tomar esse exemplo como uma metáfora do que todos nós devemos fazer, se quisermos ser Guerreiros: todos devemos olhar para dentro de nós mesmos, decidir qual a nossa maior força interior e *de que maneira devemos comprometê-la*. Isso é essencial, pois as batalhas na vida não são vencidas apenas porque um dos lados tem todo o armamento e dinheiro. Elas são vencidas, ou perdidas, pela maneira como os combatentes usam o que têm. Pensemos sobre a presença americana no Iraque e será possível entender o que quero dizer. A tecnologia e a potência de fogo superior nunca são suficientes por si mesmas.

Assim como um soldado limpa, ajusta e avalia suas armas de maneira fria, o Guerreiro também deve ser bastante imparcial para ser capaz de avaliar sua capacidade mental e decidir como utilizá-la.

O aspecto do Amante existe para temperar o Guerreiro. Afinal, nas batalhas da vida não desejamos apenas esmagar a oposição; idealmente, gostaríamos de conquistá-la, para não *termos* de lutar com todo e qualquer oponente que restar! É só pensar na frase da Casa Branca, de que a invasão do Iraque era para conquistar os "corações e mentes" dos iraquianos. Conquistar o coração é, sem dúvida, a linguagem do namoro, do amor. Nesse caso, podemos ver que o aspecto do Amante é empático, idealista, compassivo, e quer ser *amado* em troca.

Em termos tradicionais, esses dois papéis, do Guerreiro e do Amante, têm sido divididos a título de referência. O cavaleiro luta com o dragão em primeiro lugar; depois, ele pode se casar com a donzela que salvou, o que é um pouco simplista demais. Talvez as comédias de Shakespeare possam nos ajudar aqui, porque os homens (que geralmente estiveram em batalhas armadas e violentas) têm que ser educados e domados pelas mulheres que amam. Na visão de Shakespeare, os homens devem ser domados e as mulheres devem ser ouvidas, para que reine a harmonia. Os aspectos duplos, o masculino e o feminino, devem reconhecer um ao outro e se fundir. Orlando, em *As You Like It* (Como lhe Aprouver), tem de prestar atenção em Rosalinda, que está disfarçada, para descobrir quem é Rosalinda como pessoa. Se ela não estivesse usando disfarce, ele teria respondido a ela somente como um objeto de amor a ser cortejado.

Além disso, nas lendas dos Cavaleiros da Távola Redonda, a busca de Sir Galahad pelo Santo Graal[7] envolve o salvamento de donzelas e até mesmo o casamento com uma delas, exceto que, em seu caso, ele não consuma o casamento até encontrar o Graal. Isso foi considerado por algumas pessoas como a típica rejeição cristã do sexo e do amor sexual e, sem dúvida, essa é uma interpretação possível. Contudo, segundo uma perspectiva um tanto diferente, talvez isso seja uma metáfora, que indica que o papel de Sir Galahad como Amante deve se desenvolver *simultaneamente* à sua busca de Guerreiro pela pureza. Não é possível ser apenas um ou o outro. No empenho para localizar o Graal, Sir Galahad aumenta a sua capacidade de devoção. Quando ele encontrar o Graal e aprender o seu segredo, então estará pronto para experimentar o amor mundano real, de uma nova maneira. Ele luta pelo Graal e por sua esposa. É um lembrete de que encontrar o amor sexual pode, às vezes, fazer que muitos de nós desistam, por um tempo, da busca por nossa verdade pessoal. A coisa mais sábia que podemos fazer é reconhecer que ambos os aspectos do eu têm de se desenvolver juntos, e que eles podem (e devem) nutrir um ao outro.

No mundo cotidiano, às vezes é possível ver isso com aqueles casais que se dão o tempo de conversar entre si, talvez todos os dias no jantar, sobre o que cada um realizou no trabalho que lhe é mais caro. Talvez eles constatem que conversar com o parceiro gera mais compreensão, mais sabedoria. Testemunhei escritores e artistas partilhando esse tipo de comunicação, assim como médicos e terapeutas também. Às vezes, parece mais como se observássemos um encontro de negócios do que uma conversa, uma vez que os parceiros trabalham juntos efetivamente como uma equipe. Ao amar o que fazem, eles trazem esse amor à pessoa que amam e permitem que o amor cresça.

Então, como encontramos essa outra pessoa e como lutamos pela pessoa que amamos?

O primeiro passo é, talvez, o mais básico: identificar uma pessoa que seja digna do nosso amor, e não apenas responder à atração física ou à disponibilidade sexual. O Guerreiro-Amante faz escolhas conscientes sobre quem vai amar, e essas decisões não são baseadas em mera conveniência. Elas dependem de avaliações e do reconhecimento da alma. Sabendo que estamos à procura de alguém que se equipare a nós ou até mesmo nos supere, precisamos considerar com certa minúcia como seria essa pessoa, antes de procurá-la de fato, de modo que possamos reconhecer as qualidades desejadas quando elas aparecerem. É igualmente importante ter consciência do que esperamos sentir quando estivermos em presença de alguém que nos faça crescer, alguém que nos estimule a ser mais do que seríamos de outro modo, de maneira que quando formos surpreendidos isso não ocasione a nossa fuga imediata. Os soldados se sentem nervosos antes do combate, tal como os atletas antes de uma competição. Sabendo disso, eles se preparam para não entrar em pânico quando chegar o momento.

O erro de muitos de nós é reconhecer e sermos atraídos por aquelas pessoas que são, de fato, mais frágeis do que nós, porque julgamos poder dominar o relacionamento. John Bradshaw[8] se expressa assim: sempre que olhamos à nossa volta e nos sentimos atraídos por alguém, é provável que estejamos respondendo à fragilidade dessa pessoa. Essa pessoa pode estar enviando sinais que dizem: "Eu não espero tanto assim. Sou uma boa pessoa. Não sou brava de nenhuma maneira". Em termos genéticos, essa pode ter sido uma mensagem que ajudou os seres humanos a se reproduzirem; quem pode saber com certeza? Sem dúvida, é uma receita para um romance bom e aconchegante, sem nenhuma ameaça. Mas o que dizer das pessoas que conhecemos quando sentimos que nos desafiam? Não estou sugerindo que elas se comportem de maneira insultuosa ou fiquem atirando coisas (esse é outro tipo de desafio). Estou me referindo àquelas pessoas que, na interação conosco, requerem nossa plena presença, inteligência e verdade próprias. Costumamos reduzir isso à fórmula pronta de "os opostos se atraem", porque é difícil não estarmos plenamente alertas em presença de alguém muito diferente de nós. Entretanto, é mais profundo do que isso. É fácil fazer a escolha de amar e lutar por aquelas pessoas que se encaixam direitinho em nossa vida e visão de mundo, agindo, assim, como Órfãos. Contudo, o que dizer do risco da opção do compromisso de amar alguém que não nos deixa permanecer em nossa zona de conforto, que não permite que obtenhamos êxito em nosso fracasso?

O poema de Rudyard Kipling,[9] *Mandalay* (1898), é um lembrete bem-humorado disso. Nele, um soldado *cockney* semianalfabeto relembra o romantismo do Oriente e da Birmânia, em especial. O que vemos é que o *lugar* o encantou e, de volta à Inglaterra, ele não consegue mais se ajustar. Ele havia se apaixonado pelo Oriente e sua "donzela mais pura, mais doce, em uma terra mais limpa, mais verde". A experiência desafiou tudo o que ele pensava conhecer e, enquanto ele escuta as empregadas da casa tagarelando sobre seus namorados, suas palavras só podem ser ríspidas:

Embora eu caminho com cinquenta empregada de Chelsea para a Strand
E elas fala muito de amor, mas o que elas entende?
A cara carnuda e imunda 'e –
Senhor'! O que é que elas entende?*

---

* No original:
Tho' I walks with fifty 'ousemaids outer Chelsea to the Strand,
An' they talks a lot o' lovin', but wot do they understand?
Beefy face and grubby 'and –
Law'! Wot do they understand? (N.T.)

O amor não é apenas um convite para assumir um financiamento de imóvel com juros fixos e um plano compartilhado de aposentadoria. É a ordem de um sargento instrutor para ir à luta e empenhar-se em uma coisa que não tem uma garantia infalível de sucesso, mas que irá testar cada um de nós até nossos limites.

O soldado de Kipling lamenta deixar Mandalay e sua amante, sente-se isolado em Londres, e reflete sobre as remotas possibilidades de retorno. Seria possível ele voltar agora? Se ele nunca tivesse partido, certamente teria sido perseguido e talvez morto como desertor. Se ele voltasse (se pudesse custear a volta), teriam dito que "foi viver como os nativos". De fato, ele não teve a coragem de seguir o desejo de seu coração; ele ficou preso entre os seus desejos e sua noção de si mesmo como um inglês. Mas, por um momento, ele sentiu algo que instigou sua alma *cockney* para a poesia:

Se você ouviu o chamado do Oriente, de nada mais vai precisar...
A caminho de Mandalay,
Onde os peixes-voadores brincam
E a madrugada surge como um trovão, na China distante, cruzando a baía!*

Como é fácil amar quando nosso ponto de vista é convencional, parece dizer Kipling. O *cockney* foi um soldado (um Guerreiro) e foi um Amante, mas ele perdeu a oportunidade de permanecer nesse espaço. É o Oriente que o atrai ou é a lembrança de quem ele estava se tornando, antes de retornar? Se tudo isso faz o amor parecer um tanto assustador, eu simplesmente concordo, é assim que ele está destinado a ser, nessa altura; será fácil apenas se optarmos pelo tipo de amor do Órfão. E, com todo respeito, talvez muitas pessoas necessitem dele. Às vezes, aqueles que se uniram como Órfãos, tentando evitar preocupações demasiadas na vida, descobrem que, juntos, a sua coragem cresce. Juntos, eles podem explorar quem são enquanto indivíduos e enquanto casal; o crescimento pode acontecer de muitas maneiras. Quando o crescimento começa, no entanto, pode ser difícil lidar com ele.

Segue um exemplo do que quero dizer com isso. Uma mulher, em uma de minhas aulas de redação, há muito tempo, veio me procurar para perguntar se seu marido poderia assistir às aulas com ela. Embora essa não fosse uma diretriz da escola, não considerei isso um problema; portanto, eu quis saber por que o marido queria

---

* No original:
If you've 'eard the East a-callin' you won't never 'eed ought else...
On the road to Mandalay,
Where the flyin' fishes play
And the dawn comes up like thunder, outer China 'crost the bay!

assistir às aulas. A resposta dela me chocou. Ela disse: "Ele vê que estou mudando por frequentar a faculdade, e quer saber o que está acontecendo". Então o marido veio para a aula, sentou-se em silêncio e parecia preocupado. Três semanas depois, a mulher estava de volta em minha sala. "Eu tenho que me desligar de seu curso e da faculdade", disse ela. De início, ela não explicou o motivo, mas acabou por admitir que o marido se sentia realmente desconfortável com a pessoa que ela havia se tornado: questionadora, mais fortalecida, e ele responsabilizava a faculdade. Suas últimas palavras para mim foram que ela tinha de largar a escola para salvar seu casamento.

Esse é um exemplo incomum, mas ele me persegue desde então. Um casamento que se baseava em um dos cônjuges sendo um tanto avoado e o outro sendo o sólido provedor que gostava desse papel soa como um casamento Órfão para mim, um casamento que *não poderia* crescer sem alterar a sua forma existente – e então não cresceu. Um Peregrino emergente não foi capaz de se arriscar a perder o que tinha.

Estar confortável significa que não há uma mudança verdadeira; estar desconfortável pode significar que estejamos num lugar novo, pensando, avaliando e aprendendo. Não estou defendendo o desconforto em si. Estou sugerindo que podemos nos familiarizar com a mudança e o crescimento. O crescimento não necessita ser violento ou frenético; contudo, ele vai acontecer, se não procurarmos impedi-lo. Mesmo se tentarmos impedir, ele tem uma maneira de crescer, de qualquer modo, como a grama entre as lajes de concreto. Portanto, o caminho do Guerreiro-Amante é de constante vigilância, constante crescimento e de deleite nesse crescimento. Sempre há novas coisas para se aprender. Por que motivo um casal não ficaria encantado em se manter por diversas décadas, descobrindo os muitos aspectos fascinantes da vida, desenvolvendo seus níveis pessoais de consciência e intimidade?

No entanto, os exemplos são raros.

Podemos todos pensar em exemplos do oposto disso: casais que criaram seus filhos, que fizeram um excelente trabalho nesse sentido, e que então decidem que o seu relacionamento já completou seu desenvolvimento natural. Então eles se divorciam. Essas pessoas talvez tenham sido verdadeiros Guerreiros-Amantes na tarefa de educar seus filhos. Elas talvez estejam agindo como pessoas realmente corajosas, recusando-se a aceitar um casamento desgastado. Porém, elas não conseguiram se tornar Guerreiros-Amantes em seu próprio relacionamento. Talvez elas precisem de uma outra peregrinação, para que isso ocorra no próximo relacionamento, ou pode ser que optem por um relacionamento Órfão confortável. Uma mulher com quem trabalhei, que havia acabado de passar por um divórcio confuso, colocou-o dessa maneira: "Agora, eu apenas quero um relacionamento que seja estável e confortável. Quero que as coisas sejam fáceis". Assim ela se estabilizou, de um modo feliz, com um homem vinte anos mais velho, que era constante, um bom padrasto para seus filhos, e quem ela descreveu como "muito fácil de se conviver". Um porto seguro para um barco sacudido pela tempestade, pode-se dizer.

Assim, aqui devemos afirmar o óbvio. O Guerreiro-Amante não pode se tornar plenamente ele (ou ela) próprio sozinho. Isso requer um relacionamento vital com outra pessoa, embora este não tenha de ser um relacionamento sexual. Os homens podem ensinar outros homens, as mulheres podem fazer a mesma coisa, e qualquer variação sobre o tema que funcione é boa. Mas nem todas elas dão um bom resultado. Um Guerreiro-Amante ligado a um Órfão encontra desafios insuficientes no relacionamento para que este seja realmente satisfatório; assim, ele se torna inquieto, ressentido e às vezes destrutivo; o Guerreiro age com violência e o Amante definha. Verdadeiros Guerreiros-Amantes parecem trabalhar em pares; eles são dedicados à verdade agora e no futuro também. Talvez o aspecto que mais nos confunda é que esses padrões de crescimento espiritual não parecem ser ilustrados de uma maneira direta em nossa cultura. Eles existem em nossa literatura e em nosso folclore, mas por que não são mais óbvios no restante da vida? Existe um fantasma de uma tradição ainda observável, que permite que o indivíduo passe de uma versão do eu para outra, do Órfão para o Peregrino, para o Guerreiro-Amante. A Igreja Católica, com a sua cerimônia de primeira comunhão, faz um gesto em direção ao que costumava ser claramente um rito de passagem; neste, o indivíduo, depois de um período de treinamento religioso e introspecção, é adotado como um membro pleno da comunidade religiosa. Espera-se que o novo comungante agora defenda as crenças da Igreja, mas que não as questione, infelizmente. O Bar Mitzvah funciona da mesma maneira.

Vamos considerar agora os vestígios de mudança de *status* existente no ritual da despedida de solteiro. No século XVIII, este era ainda reverenciado como um jantar tradicional, oferecido pelo futuro noivo, para dizer adeus àqueles amigos com quem não poderia mais passar o tempo depois de casado. Era, portanto, um último grito de alegria para a turma arruaceira de irmãos, e uma expressão de boas-vindas a uma nova ligação que tornava os antigos laços obsoletos. Era uma troca de um tipo de companheirismo ou adoção por outra forma de vínculo, tão valorizado como a simbólica "entrega da noiva" em um casamento. O melhor discurso do homem em casamentos, atualmente, é uma desculpa para risadas e diversão e, não obstante, sua origem reside no desejo daqueles amigos da vida anterior do noivo de conferir suas bênçãos sobre a união (uma afirmação de que eles aceitam a mudança da situação dele). Pode-se dizer que estes são indícios fracos; contudo, chamo a atenção para o fato de que quase todas as pessoas se casam; assim, isso tem uma aplicabilidade universal. Quando alguém deixa os seus companheiros de juventude dessa maneira, costuma ser porque está planejando o início de sua própria família. Por definição, essa pessoa não é mais o filho de alguém, mas agora planeja ser o pai (ou mãe) de alguém, com todas as exigências implícitas.

A ideia é simples: abrir mão de antigas ligações, assim como abrir mão de antigas mágoas, exige uma mudança de atitude. É um ponto de crescimento, mesmo se parece ser tratado, atualmente, como uma desculpa para abusar de bebidas alcoólicas. A cerimônia de casamento é uma imensa celebração e, contudo, é também o ponto em que ambos os parceiros concordam em assumir as responsabilidades mais exigentes que a maioria de nós enfrentará em termos sociais, pessoais e financeiros. O divórcio é um fenômeno relativamente recente, o que tende a nos fazer esquecer do alcance dos laços que são postos em ação pelo casamento. Podemos pensar que um casamento tem a ver com amor, e temos razão. Entretanto, por trás dessa visão podemos ver (se decidirmos olhar) que ele é também um reconhecimento público do crescimento pessoal em termos de responsabilidade. Se optarmos por considerá-lo como uma mudança simbólica, então seria difícil não vê-lo como uma série de passos. Cada pessoa foi um Órfão; cada uma delas fez uma peregrinação em busca do companheiro, e cada uma pensou em quem realmente era durante essa busca. Quando esse Peregrino concorda em assumir responsabilidade por sua vida e ligar-se a um companheiro pelo resto da vida, então ele passa para o estágio de Guerreiro-Amante de estar comprometido com o casamento e com a pessoa.

Devemos notar que uma cerimônia de casamento trata do *futuro* das pessoas envolvidas. Não se pergunta "Você ama esta pessoa?". Pergunta-se se os participantes estão preparados para assumir um compromisso para o futuro. Muitas pessoas hoje em dia escrevem os próprios votos de casamento. Considero esse um sinal saudável, uma vez que elas estão dizendo, com efeito, que "*é isto* que eu assumo o compromisso de fazer, e eis minha promessa de que o farei". O Guerreiro, por definição, tem de jurar algum tipo de fidelidade a uma causa; o Amante leva esse juramento para o domínio do compromisso pessoal.

O Guerreiro-Amante, portanto, apresenta diversos aspectos e é mais conveniente discuti-los em termos deles enquanto par. Na condição de cônjuge, essa pessoa arriscará tudo o que tem para o seu amante. Não existem meias medidas. Essa pessoa lutará por seu cônjuge e lutará ao lado de seu cônjuge, por aquelas coisas que ambos amam, especialmente os filhos. Contudo, assim como nenhum soldado pode funcionar sozinho, esse casal depende do apoio mútuo. Eles são "um pelo outro", e qualquer deserção desse acordo gera descrença, raiva e dor. Mas devemos ter consciência de que os aspectos de Guerreiro e de Amante podem se estabilizar: uma pessoa no casal se torna o ganha-pão, a pessoa enérgica e empreendedora; a outra, cria os filhos, virtualmente sozinha. Isso não é satisfatório, por impelir cada pessoa a um papel, e um papel geralmente é estático, limitado, em última instância o domínio do Órfão. Um verdadeiro Guerreiro-Amante está sempre ávido por crescimento; a estase não é, na verdade, uma opção. Os Guerreiros-Amantes, trabalhando juntos, permitem espaço um ao outro e realmente podem agir como companheiros, além de serem Amantes. Eles pedem, esperando receber; eles dão, sabendo que também podem tomar, em igual medida. Acima de tudo, sabem que têm de ajudar um ao outro a manter o equilíbrio do Guerreiro e do Amante internamente, e estarão comprometidos com isso conforme crescem. Eles não toleram a estase, assim como no mundo cotidiano os soldados não suportam ficar presos nos alojamentos, e os amantes não suportam as mesmas velhas atividades o tempo todo. Este é o arquétipo que vê a vida como "um vale de elaboração da alma",[10] como coloca John Keats, um lugar no qual devemos nos aventurar de modo que nossas almas possam se desenvolver plenamente.

Qual é a melhor maneira de ilustrar isso? Consideremos o bom professor. Eis uma pessoa que oferecerá muito apoio e amor verdadeiro. Os bons professores realmente gostam dos assuntos que ensinam e apreciam estar com seus alunos enquanto aprendizes. Contudo, o professor realmente excelente não força a informação sobre os outros. Em vez disso, procura despertar o interesse e encorajar os outros, de modo que estes possam desfrutar da informação e aprender, envolvendo-se com ela. É óbvio que há um desequilíbrio de poder: o professor é mais velho e sabe mais, e tem um programa de estudos para concluir; não obstante, o excelente professor trabalha de um modo amoroso e tem suficiente distância dos alunos para lhes permitir que vivam a própria vida e pensamentos *fora* da escola. E professores realmente excelentes geralmente irão relatar quanto eles aprendem com seus alunos, pois nunca se trata de um caminho de uma só via, onde uma das pessoas tem todas as respostas. Agora, imaginemos dois professores realmente bons, ensinando um ao outro pela livre e desimpedida troca de ideias, pensamentos e sentimentos, questionamento, respeito, permitindo espaço um ao outro. Esse é o Guerreiro-Amante em ação.

"Ensinar", é claro, sugere uma tendência injusta nesse processo. Lembremos: o Guerreiro deve ser resoluto e trabalhar com as emoções controladas, ao passo que o Amante pode ser brincalhão e valorizar as emoções efusivas, mais do que a racionalidade ou a lógica. O desafio é saber quando utilizar cada aspecto de maneira apropriada. Este é o entrosamento perfeito de corpo e alma, fantasia e pragmatismo, lógica e emoção. Carl Jung sugeriu que esse é o trabalho essencial de uma vida para todos os seres humanos: o de ser capaz de integrar esses aspectos aparentemente opostos de nós mesmos, de modo que possamos viver como seres inteiros. Quando o professor aprender, quando o Amante puder ser determinado sem ser dominador, quando o Guerreiro puder ser compassivo sem ser tolo, então teremos o equilíbrio necessário.

Sem dúvida, isso não é algo que se possa aprender num *workshop* de fim de semana. Os homens são de Marte (Guerreiros) e as mulheres são de Vênus (Amantes),[11] certo? Bem, não. O desenvolvimento desequilibrado e a polarização de papéis levam a um tipo de separação artificial e é a tarefa de nossa vida retornar para algo mais integrado. A popularidade dos *workshops* e livros de John Gray* é uma prova mais que suficiente de que, em nossa sociedade, perdemos de vista o significado real do arquétipo do Guerreiro-Amante equilibrado, e estamos desesperados para redescobri-lo com toda a sua energia vital.

Consideremos o arquétipo desse modo: o líder militar sábio tende a ser aquele que passa muito tempo tentando entender o que a oposição fará em seguida. Para esse fim, ele reunirá informações, enviará espiões e irá procurar penetrar na mente do outro. Essa versão do Guerreiro deve entender o oponente *e* a si mesmo, bem como os próprios objetivos. Agora, se vertermos essa imagem para algo mais pacífico, tal como o relacionamento entre aqueles que se interessam um pelo outro, então teremos uma comparação realmente poderosa. Imaginemos, por exemplo, uma relação amorosa na qual ambas as pessoas escutam, de fato, uma à outra. Tanto o que é dito como o que é deixado sem dizer. Imaginemos uma relação em que cada parceiro sabe como são perigosas as noções preconcebidas a respeito do que a outra pessoa é. Pensemos sobre a enorme atenção plena que isso acarretaria. Cada pessoa estaria plenamente presente ao que está acontecendo neste momento, bem como ao que aconteceu no passado e as consequências possíveis no futuro. Não é triste o fato de sabermos como fazer isso, mas em geral reservarmos essa imensa atenção apenas para aqueles que designamos inimigos, ou como oposição ou como terroristas? Nossa sociedade é extremamente eficaz em viver o papel do Guerreiro desequilibrado, que, por ser apenas um papel, se torna, inevitavelmente, apenas um outro aspecto do Órfão. É claro que devemos estar vigilantes em relação às pessoas que querem nos destruir; e também devemos usar o mesmo cuidado para nutrir os relacionamentos com aqueles que amamos.

Infelizmente, nossas expectativas costumam ser muito baixas em relação ao que um casal pode ser. O "Casamento Feliz" em nossa sociedade geralmente é retratado como algo muito pouco exigente. O par satisfeito, comunicando-se no tipo de taquigrafia que se desenvolveu durante os anos, passa o tempo em seu casamento de ouro num espírito de viver e deixar viver. Isso é admirável; o problema é que, a me-

---

* *Os Homens são de Marte, as Mulheres são de Vênus* é um livro escrito pelo autor americano John Gray. (N.T.)

nos que estejamos conscientes do trabalho difícil necessário para se atingir isso, podemos deixar escapar o principal. Só podemos atingir a plena expressão do Guerreiro-Amante depois de ter atravessado todas as lutas, os mal-entendidos, as frustrações, os momentos de alegria indescritível e de dor debilitante que permitiram a esse casal ser plenamente eles mesmos na presença um do outro.

Se pudermos manter em mente a imagem, a metáfora do Guerreiro-Amante, isso poderá ajudar de um modo extraordinário a nos mostrar como chegar a esse ponto.

Tenhamos em mente, da mesma forma, que a imagem também pode nos avisar sobre o mau uso desse estágio, que pode separar casais amorosos, mesmo que tenham optado por permanecer juntos. Consideremos a reunião do Regimento, ou os encontros do Dia do Veterano, no qual todos os antigos soldados estão numa mesa e suas esposas, em outra. Esse deslocamento físico pode, às vezes, ser visto como um espelho da falta de comunicação entre os casais em alguns pontos. De que modo o antigo soldado, que tende a sofrer de algum tipo de stress pós-traumático, já que todos os soldados que enfrentaram um combate são modificados por ele de alguma maneira, de que forma ele pode comunicar as suas emoções sobre esses acontecimentos para a sua esposa? Observações baseadas em relatos sugerem que isso é extremamente difícil. Se o antigo soldado puder se abrir acerca de suas feridas psíquicas para aqueles que estão realmente tentando se aproximar dele, ele terá uma chance de ser capaz de fundir plenamente o Guerreiro e o Amante.

Então por que os antigos soldados não falam abertamente sobre o que conhecem e o que podemos aprender com eles? Minha sugestão é que a experiência do Guerreiro é do lado escuro de si mesmo. Ele vive o medo da morte violenta, da dor e do desmembramento. Depara-se com a possibilidade de que sua morte pode não ter a menor importância, que sua causa está errada e que suas decisões de vida são suicidas. Enfrenta a possibilidade de não haver Deus, nenhuma bondade, nenhum propósito no mundo e que a crueldade e a morte são muito mais fortes que o amor e a vida. Espreita o inferno. A seguir, ele tem de viver com esse conhecimento acerca de si mesmo como alguém que sentiu medo e que também quis ser um matador. Talvez ele tenha realmente matado, e tem de viver com isso. Não admira que aqueles rapazes bem dispostos da "The Greatest Generation"[12]* tenham voltado para casa com uma expressão tão aflita. No clássico de 1949, "Twelve O'Clock High" ("Almas em Chamas"),[13] sobre as tripulações de bombardeiros americanos da Segunda Guerra

---

* The Greatest Generation (A Maior Geração) é um termo cunhado pelo jornalista Tom Brokaw para descrever a geração que cresceu nos Estados Unidos durante o período de privação da Grande Depressão, e que depois foi lutar na Segunda Guerra Mundial. (N.T.)

Mundial, a representação de Gregory Peck de um líder de grupo é uma versão assustadora disso. Em uma cena memorável, ele se dirige à sua tripulação dizendo que eles julgariam muito mais fácil a tarefa de pilotar missões de bombardeio se considerassem a si mesmos "já mortos". O Guerreiro tem de conhecer a morte, chegar mais perto. Como alguém pode retornar ao mundo cotidiano de um lugar tão difícil? Robert Bly[14] alega que os guerreiros celtas e vikings de antigamente passavam por complicados rituais de "serenamento", com o apoio familiar, de modo que pudessem integrar as suas experiências nas batalhas com o mundo cotidiano; infelizmente, Bly não fornece referências. Com a taxa de veteranos traumatizados do Iraque subindo todos os dias, poderíamos fazer uso dessa informação. Tudo o que podemos alegar é que atualmente parece não haver nenhum mecanismo ou modelo para retornar ao dia a dia.

Sem dúvida, as experiências traumáticas estão disponíveis para as mulheres, uma vez que a guerra é cruel com os civis também. Além disso, as mulheres enfrentam o parto, que até em épocas bastante recentes costumava ser perigoso e, com certeza, doloroso. Não obstante, no parto existe uma recompensa em forma de uma criança, e isso muda a comparação. A passagem em direção à morte é recompensada com amor e vida.

Na verdade, essa experiência de desamparo é o teste mais importante do Guerreiro-Amante. Cada pessoa, homem ou mulher, que segue essa rota terá de aguentar uma temporada no inferno. Em uma imagem, ela é a experiência do soldado enfrentando a morte, "A Grande Morte", como a denomina Stephen Crane em *The Red Badge of Courage*.[15]* Respondendo a ele através do tempo, está a mulher negra que envelhece em *Just Don't Never Give Up on Love*,[16] de Sonia Sanchez, que descreve um período semelhante de desespero devastador em sua vida como "o matadouro". Penso que o título da composição literária de Sanchez torna explícito, pelo menos, um dos temas que temos considerado aqui: qualquer pessoa pode enfrentar a morte de inúmeros modos diferentes; o importante é tirar a lição de que ela é, no fim, apenas morte, a exata negação de tudo o que aprendemos a valorizar.

É provável que nossa experiência mais comum, com relação a isso, seja a de ver morrer alguém que amamos. Não é possível esquecer essa experiência, e lidar com essa informação exige algum esforço. Quando um pai ou mãe morre, deparamo-nos com algo que pode ser acessível em termos intelectuais (que a pessoa mais velha deve morrer e nos deixar). Não obstante, costuma ser difícil, em termos emocionais, entender a mudança que isso trará. Por exemplo, eu sabia que meu pai morreria; ele

---

* *O Emblema Rubro da Coragem* (livro) e *Glória de Um Covarde* (filme adaptado do romance de Stephen Crane). (N.T.)

havia estado doente por algum tempo. No entanto, quando isso aconteceu, eu me senti nu, de uma maneira inesperada. Ele havia sido uma grande presença em minha vida e agora ele havia partido. As coisas que haviam ficado incompletas em nosso relacionamento teriam de ser elaboradas apenas por mim, sem ninguém para responsabilizar, nenhuma desculpa, nenhuma mentira.

O modo de ele lidar com a morte também fez que eu tivesse de enfrentar algumas questões incômodas. Na medida em que ele piorava, em que sua memória falhava, em que sua vitalidade diminuía até ser uma sombra do que era antes, fui forçado a fazer a mim o mesmo tipo de perguntas que ele certamente se fazia: sem meu corpo, memória, posses, realizações, quem sou eu? O que resultou disso é a consciência de que, conforme morremos, se tivermos sorte, seremos reduzidos a uma parte mais essencial de nós mesmos, um eu que quer ser amado e dar amor. Todos nós queremos alguém que segure nossa mão e alise a nossa testa quando nos aproximamos da morte, e nada tem muita importância, exceto aquelas pessoas que amamos. Todas as antigas rixas, todos os ressentimentos, tudo isso desaparece. Apenas permanece a necessidade de amor. Talvez por isso existam tantas histórias de moribundos vendo seus familiares à sua espera, ao lado de sua cama, ou conversando com antigos amigos desaparecidos. Pensar que esses são espíritos que retornam, ou que são ilusões criadas pela pessoa moribunda, importa muito menos do que considerar isso como confirmação da necessidade, no fim da vida, de sentir amor.

Passar pela morte de uma criança ou de um amigo pode ser devastador também, e talvez muito mais desorientador do que a morte de um dos pais. Podemos nos descobrir duvidando de que o Universo seja um bom lugar. Enfrentamos nossa solidão, nossa insignificância. Vemos um mundo que parece ser um caos, ficamos apavorados, tentados pelo desespero mais sombrio. E se somente existir dor e sofrimento neste mundo? O Guerreiro sabe que deve seguir adiante de algum modo, e a melhor resposta é se voltar para o aspecto Amante do eu. A vida não tem sentido sem Amor, então devemos colocar nossa confiança no Amor. O amor aparentemente é frágil, mas sabemos que ele sobrevive à morte. Sobrevive a tudo. O amor é tudo, e *isso* acalma os fogos do inferno. Saber que o Amor é tudo o que há o torna duplamente doce. O amor cura as feridas do Guerreiro.

Os desafios para o Guerreiro-Amante: O relacionamento especial

O estágio do Guerreiro-Amante tem suas próprias armadilhas inesperadas, a serem enfrentadas. Num casal, é bem possível que cada um dos parceiros atinja o equilíbrio do Guerreiro-Amante; porém, a sensação de serem especiais, que acompanha a consciência de sua parceria excepcional, pode levá-los à estagnação. À primeira vista, qualquer relacionamento entrosado parece extraordinário, mas, infelizmente, ele tende a não deixar espaço para ninguém mais entrar. Talvez os parceiros se tornem tão dependentes um do outro que passem a rejeitar outras interações possíveis, que lhes parecem inferiores à sua própria. É evidente que eles têm razão. A união de dois Guerreiros-Amantes é bastante impressionante. Mas isso não significa que os relacionamentos não sexuais que o casal pode ter não sejam dignos de consideração. É irônico que a valorização do seu mútuo relacionamento é o que pode cegá-los para as outras possibilidades. Essa é uma forma potencialmente perigosa de isolamento, já que a tendência do casal de se orgulhar da excelência de seu relacionamento provoca-lhes a sensação de superioridade e a tendência de julgar as outras pessoas. Sem controle, a gratificação egoica obtida, quando consideram dessa maneira a sua relação, pode cegá-los. Eles cumprimentam a si mesmos por serem tão especiais, tão mais avançados do que pensam que os outros podem chegar a ser. Isso pode se transformar, rapidamente, numa outra versão da visão do Órfão, na qual o casal valoriza o relacionamento pelo que este prova aos outros, e não pelo seu significado enquanto entidade viva. Às vezes, vejo casais que têm um intenso orgulho de seu relacionamento e que parecem, à primeira vista, Guerreiros-Amantes. Mas um exame mais minucioso revela que a relação não está, de fato, produzindo nenhum efeito significativo, além da sua fachada. O verdadeiro Guerreiro-Amante, afinal, não luta apenas pelas medalhas. O Guerreiro-Amante deve lutar por uma causa digna, maior que a recompensa pessoal, a qual torne o mundo um lugar melhor, um lugar mais humano. Se ele perder isso de vista, o resultado poderá ser um tipo de conspiração aconchegante que pode deslizar para a congratulação de si próprio, e essa é a maneira do Órfão de fazer as coisas.

Quando qualquer um de nós tem uma relação assim, a tendência é sentir que somos importantes, porque significamos algo para a outra pessoa: isso satisfaz nosso ego. Nosso parceiro nos faz sentir bem em relação àquelas partes de nós mesmos que não apreciamos muito; de outro modo, para que seria necessário um parceiro para nos tranquilizar? E dessa maneira começamos a ver nossa qualidade especial como importante em si mesma, e nós a comparamos com outras pessoas que são menos "especiais" do que nós, em nossa opinião. Lembremos: quando julgamos dessa maneira, não estamos usando a compaixão, e esta é um componente essencial da vida equilibrada do Guerreiro-Amante. O que a maioria de nós não faz, numa situação como esta, é um bom uso da informação que estamos obtendo. Então nosso parceiro nos faz sentir bem em relação aos aspectos que pouco apreciamos em nós mesmos? É importante saber essa informação. A tarefa agora é: como posso me sentir totalmente bem comigo mesmo, sem precisar que alguém me console com adulação? Se eu puder amar a mim mesmo, com os defeitos e tudo, isso me ajudará a amar não apenas o meu parceiro mas também outras pessoas que necessitam de amor, ajuda e encorajamento. Se eu estiver em paz comigo mesmo, poderei estar mais presente em relação a qualquer outra pessoa, não apenas meu parceiro. Ser um Guerreiro-Amante não é uma atividade reservada, embora ela possa ser fomentada, de início, no domínio privado do amor. É uma atividade que requer crescimento, assim como os seres humanos precisam de exercício; de outro modo, eles irão atrofiar.

Os relacionamentos especiais têm uma maneira triste de desmoronar. Como o ego deseja o sentimento de ser considerado único, o que tende a ocorrer é que duas pessoas ávidas por esse apoio se unem e entram numa espécie de pacto desonesto. Elas parecem pensar assim: se eu concordar em aceitar as suas fragilidades e adulá-lo, então você terá de fazer o mesmo comigo. O problema é que cada pessoa sabe que, se o outro é tão inseguro e carente, isso significa, em última análise, que o relacionamento não é tão impressionante como cada um gostaria de acreditar, e isso causa ressentimento. Na verdade, os casais ligados dessa maneira passam a odiar a necessidade que um tem do outro, ao mesmo tempo que eles professam amar o outro e estar acima desse tipo de apoio. Cada vez mais tempo e esforço é então exigido para manter a relação estável; esta se torna exclusiva já que não há nenhum espaço real para que outros tenham importância ou sejam notados: nem crianças, nem amigos, nem os pais.

Até mesmo os relacionamentos especiais entre Guerreiros-Amantes correm o risco de cair em padrões típicos do Órfão.

Pontos a considerar: Manter o equilíbrio

A situação do Guerreiro-Amante é extremamente exigente, uma vez que, durante a sua maturação, ela envolve uma mudança quase completa, do entusiasmo inicial para a aceitação tranquila. O Guerreiro-Amante atinge esse primeiro sentimento de exuberância quando um Peregrino decide declarar-se de modo pleno, afirmando o objetivo pelo qual está pronto para viver ou morrer. Esse é um momento que pode saturar-se de orgulho, de coragem; e pode ser um momento em que se sente uma imensa apreensão. O noivo (ou noiva) tende a estar cheio(a) de felicidade no casamento, determinado a ser o(a) melhor esposo(a) possível, mas essa pessoa esperançosa ainda não sabe em que medida essa nova vida testará o seu caráter.

Ao viver essa nova vida, o Guerreiro-Amante descobrirá profundezas inesperadas de sentimentos. O novo cônjuge encontrará (para a sua surpresa) reservas de energia que jamais imaginava ter, quando cuida de crianças doentes, consola o parceiro exausto e ainda mantém um emprego. O Guerreiro-Amante, portanto, vai experimentar o pleno poder de seu próprio amor pessoal por outrem, ao mesmo tempo que compreenderá a importante verdade de que não é apenas uma pessoa que agora recebe amor. É toda a família. Papai e mamãe não vão à luta e trabalham duro só pelo pequeno Jimmy. Eles o fazem por todas as crianças e pelo cônjuge, e, caso isso implique, em muitas ocasiões, colocar a si mesmo em segundo ou último lugar, então é isso o que eles farão. Em cada caso, a lealdade tem início como um apego pessoal (a esposa ao marido ou vice-versa, o soldado aos seus companheiros, o indivíduo a uma causa) e cresce até se tornar um apego amoroso à família, ou a uma unidade, ou a um ideal. A seguir, ele dá um passo além. O pai (mãe) amoroso(a) não apenas está ligado(a) à família nuclear, mas a todo o conceito do que é certo e bom para a sociedade que os circunda de forma mais imediata. O soldado devotado está ligado ao propósito que o próprio exército representa. O idealista está conectado ao ato de pôr os ideais em ação, para o bem de todas as pessoas envolvidas.

Há um poema extraordinário de Richard Lovelace (1618-1658)[17] que, de certa maneira, torna isso explícito. Supostamente é um poema de amor e é intitulado: "To Lucasta: on Going to the Wars" (Para Lucasta: sobre Ir para as Guerras). Lucasta foi um nome inventado, é claro, como era a convenção da época, e o poema pode ser lido como um poema de amor, ou pode ser visto como algo mais. Eis o poema:

Não me diga, Amor, que sou descortês
Que do claustro
Do teu peito casto e mente quieta
Para a guerra e armas eu fujo.

Certo, nova amante agora eu caço,
O primeiro inimigo em batalha
E com uma fé mais forte abraço
Uma espada, um cavalo, um escudo
Contudo esta inconstância é tal,
Que também adorarás
Eu não poderia amar-te, querida, tanto,
Se a honra, ainda mais, eu não amasse.*

---

* No original: *Tell me not, Sweet, I am unkind / That from the nunnery / Of thy chaste breast and quiet mind / To war and arms I fly. / True, a new mistress now I chase, / The first foe in the field / And with a*

Como oferenda de amor para uma mulher, o poema é excelente. Contudo, se considerarmos Lucasta uma ficção, podemos vê-lo como um retrato do que um homem escreveria para sua amante em circunstâncias que o fizessem deixá-la para lutar em apoio ao seu rei. De muitas formas, os quatro últimos versos são os mais essenciais, já que ele diz que ao amar tanto um princípio de conduta correta ele vai deixá-la, ele está, na verdade, amando-a *mais*. A sugestão é clara: o homem sem um senso de moralidade acerca das questões maiores da vida não é digno de amor. Na visão do poeta, um amor alimenta o outro; a habilidade de amar sexualmente permite que ele sinta lealdade, e essa lealdade deve dar lugar a uma causa maior que seu próprio desejo de estar com ela. Isso, por sua vez, permite que ele valorize o amor pessoal ainda mais. Os dois amores alimentam-se mutuamente e nenhum amor é completo sem o outro. Essa parece ser uma descrição adequada do que o Guerreiro-Amante tem de passar nos termos que estamos utilizando.

Esse é um tema ao qual Lovelace retorna em um outro poema: "To Althea, from Prison" (Para Altea, da Prisão), o qual (mais uma vez) parece ser sobre o amor, mas, na verdade, é sobre a sua lealdade ao rei Charles. Ele é mais bem conhecido por seu último verso muito citado, que começa:

Paredes de pedra não fazem uma prisão
Nem barras de ferro uma cadeia*

Se considerarmos que é quase certo que Lovelace estava na prisão na época, fechado atrás de paredes de pedra e barras de ferro, e que o homem que ele apoiava, o rei Charles, também estava preso, essas são palavras realmente corajosas. Essa é uma descrição comovente do Guerreiro-Amante que enfrenta a derrota e reconhece que existem certas coisas mais importantes do que vencer. Algumas derrotas mostram mais coragem verdadeira e integridade do que algumas vitórias. Harold Bloom[18] diz que o propósito da arte para os leitores é o de "estar face a face com a grandeza". Nesses dois poemas, não podemos ter nenhuma dúvida acerca da grandeza da alma de Lovelace.

Os poetas britânicos do século XVII eram extraordinários pela opção de escrever de modo que o significado superficial de um poema fosse apenas parte de seu

---

stronger faith embrace / A sword, a horse, a shield. / Yet this inconstancy is such, / As you too shall adore / I could not love thee, dear, so much, / Loved I not honour more.
* No original:
*Stone walls do not a prison make
Nor iron bars a cage*

valor total; assim, não estamos mudando o significado do poema quando olhamos para ele desta maneira. Lovelace estava escrevendo sobre o arquétipo do Guerreiro-Amante com base em uma experiência direta, e nos faz uma evocação maravilhosa de como é viver nesse lugar.

Assim, pode-se dizer que, para o Guerreiro-Amante, o amor pessoal, uma vez estabelecido, deve continuar a crescer além da união específica e exclusiva com a outra pessoa significativa. Esse amor será testado até seu ponto de ruptura. Ele pode, de fato, romper. Mas ele irá refazer a si mesmo, mais fortalecido por haver sido testado. E aprendemos que o amor não pode deter a morte ou a derrota, mas pode mudar o significado de ambos, de modo que estes não sejam mais tão poderosos. Talvez seja isso que Jung[19] queria dizer ao sugerir que uma das tarefas de nossa vida era fazer amizade com a morte. Desse modo, quando chegar a hora, podemos abrir mão da vida sem remorsos, medo ou raiva e deixar que o processo natural da morte nos domine.

O estágio do Guerreiro-Amante é o mais complexo que vimos até aqui. Se formos capazes de absorver todas as suas lições, estaremos prontos para prosseguir até o nível do Monarca, que é uma outra imagem de duas partes, embora desta vez do Rei e da Rainha, já que o mesmo aspecto duplo do masculino e do feminino será necessário para passarmos a um nível ainda superior.

No quarto:
Permanecendo aberto, sendo você mesmo

Em termos sexuais, a união de dois Guerreiros-Amantes pode ser extremamente comovente. Os Guerreiros-Amantes não se envolvem sexualmente com qualquer pessoa. Essa não é a sua natureza. Para o Guerreiro-Amante, a pessoa que levamos para a cama é a pessoa com quem estamos comprometidos e amamos como uma pessoa inteira, já que a sexualidade do outro é sentida como parte integrante da sua totalidade. Isso pode ser visto como respeito, boas maneiras, ou alguns julgariam até um puritanismo. O Guerreiro-Amante não tem aventuras, mas deseja sentir uma ligação verdadeira e de confiança com o outro e não terá pressa em construir essa ligação. Isso é verdadeiro não apenas nos estágios iniciais de um relacionamento, mas para cada ocasião em que eles se tornam sexualmente íntimos.

Uma vez que cada parceiro está consciente de quem o outro é e de quem ele próprio é, e já que o evento ocorre em uma atmosfera de amor e confiança, a experiência sexual pode ser muito diferente do que acontece nos outros níveis. Pela simples razão de que muitos amantes não sabem como abordar o ato sexual nesse espírito de ligação verdadeira. Em algumas aulas de terapia sexual e de casais, por exemplo, os exercícios introdutórios básicos trabalham para harmonizar as energias entre as duas pessoas. Este é um ponto de partida para muitas terapias baseadas no yoga também. O ato de entrar em alinhamento com o próprio parceiro pode ser feito de diversas maneiras, mas um dos modos mais eficazes de começar é harmonizar a respiração, de modo que cada parceiro esteja, num sentido literal, no mesmo ritmo do outro. Se isso for tomado como uma expressão física de um estado mental, podemos dizer que cada pessoa precisa estar em sintonia com a outra e consigo mesma, como primeiro passo; a seguir, cada um deles deve estar pronto a aceitar isso. Ouvir a própria inspiração e expiração, estar consciente da respiração do parceiro, reflete o constante dar e tomar do contato sexual, o ir e vir tranquilo e sem pressa do ato de dar e receber o prazer mútuo. Isso pode parecer elementar, mas esses exercícios de respiração são uma metáfora, tanto quanto uma ação física, pois muita gente se encontra em desarmonia com pessoas importantes de sua vida e sem consciência plena de como mudar a situação, a ponto de depois se sentir numa armadilha. Em minha prática terapêutica, deparo-me com casais que estão fora de sintonia um com o outro e até consigo mesmos. Eles se dirigem para o quarto preocupados, às vezes com excesso de cansaço, e costumam esperar que seu parceiro esteja de determinada maneira – mesmo se isso não corresponder à realidade. Quando eu os ouço descrevendo a sua situação, às vezes os escuto falar de sua vida sexual como se fosse uma exigência. Ouço comentários como: "Ele parece esperar..." ou "Ela quer sexo quando eu não quero", ou "Ela me pede que eu faça coisas que não gosto de fazer", e um dos mais tristes é: "Ele não dá o tempo necessário...". Em todos esses exemplos, escuto com cuidado, para determinar se um ou ambos os parceiros se aproximam do ato do amor com noções preconcebidas a respeito de quem eles deveriam ser, e quem eles acham que a outra pessoa pensa que eles deveriam ser. Se acrescentarmos a isso a ideia de que muita gente acredita que o amor "deveria" ser de certo modo (dependendo dos livros, filmes, vídeos e programas de TV assistidos) e que, portanto, ambos os parceiros podem ter anseios muito fantasiosos, veremos que seria um alívio enorme, para todos os interessados, se eles pudessem se libertar e abrir mão de todas essas expectativas. Ao trabalhar com um casal perturbado, em certa altura descobrimos que o homem se sentia atraído pelo caráter quase masculino de sua namorada, mas, ainda assim, na cama ele queria que ela fosse uma garota da página central da *Playboy*. Essa imagem fixa, de quem ele sentia que ela deveria ser, opunha-se a quem ela realmente era e, para ele, foi muito difícil superar isso. Por sua vez, ela queria que ele voltasse a ficar em forma e flexível, porque nos últimos tempos ele havia engordado bastante. Mas, mais do que tudo, ela queria que ele a considerasse atraente, e por causa das imagens pré-programadas dele, ele não era capaz disso. Como resultado, ela não se sentia amada e não conseguia mais senti-lo atraente. A parte interessante era que, no início de seu relacionamento, ele lhe havia dito que ela o atraía muito, mesmo que isso não fosse totalmente verdadeiro. Ele esperava que, quando ela o amasse mais profundamente, esse fato por si só a tornaria mais atraente aos seus olhos. Este é apenas um simples exemplo do tipo de carga extra que é carregada para o quarto por muitas pessoas. Nesse exemplo, o homem simplesmente não conseguia ser ele mesmo, ou estar presente para a realidade da situação que se lhe apresentava.

O verdadeiro Guerreiro-Amante é alguém que se dá o tempo e o esforço para observar quem a outra pessoa é naquele momento; a seguir, olha para si mesmo em busca do que ele próprio é, aceitando o que encontra. Ao estender essa aceitação (pois a aceitação real é amor) sem julgamentos, tornar-se-á possível para cada parceiro explorar os sentimentos e desejos. As imperfeições físicas não significam nada quando a pessoa sente que seu parceiro o enxerga como um todo e percebe essa totalidade com alegria. A timidez e a reserva evaporam. A necessidade de "desempenhar" ou de "ser bom na cama" não é mais parte dos processos de pensamento, uma vez que essas atitudes envolvem algum tipo de avaliação quantitativa que é, como sabemos, valorizada pelos Órfãos. Estes, às vezes, calculam o número de relações sexuais que tiveram, ou o número de orgasmos, tendendo a fazer isso enquanto desconsideram a natureza da conexão espiritual que foi, ou não foi, atingida.

Afinal, partilhar a própria sexualidade com alguém é muito diferente de "ter sexo"; o sexo não é uma coisa a ser possuída, de modo que, literalmente, o sexo é algo que não se pode "ter". Viver um acontecimento é uma coisa que só pode existir naquele momento específico. Quando li em meu jornal local acerca de uma tendência, entre recém-casados, de filmar em vídeo os seus primeiros atos sexuais de marido e esposa, interessou-me que a ênfase para essas pessoas se deslocou da ação do momento para o desejo de criar um artefato físico, o qual deveria lhes possibilitar rever as cenas quando sentissem a necessidade. Longe de mim julgar as preferências sexuais de quem quer que seja. Estou apenas ressaltando que uma experiência emocional pode, nesse processo, ser transformada num objeto físico, da mesma maneira que compartilhar o próprio eu e a própria sexualidade é transformado em "ter sexo". Os Órfãos podem precisar de videoteipes ou DVDs para fazê-los lembrar, para tranquilizá-los; os Guerreiros-Amantes sabem que a parte realmente importante do ato sexual não é apenas a parte física. Para o Guerreiro-Amante, a consumação sexual é sentida como um ponto no qual duas pessoas se conectam, e nessa conexão elas transcendem o habitual. Elas sabem que alguma coisa importante aconteceu entre elas e cada pessoa estava vulnerável e aberta – e se sentia aceita.

Quando ocorre essa união, há uma transformação interessante: o senso de segurança e confiança que existe entre os Guerreiros-Amantes permite que surja o Inocente, há muito tempo enterrado. Ouvi pessoas descrevendo esse processo como "ser como uma criança de novo", e isso marca o ponto no qual aquele Inocente puro, amoroso, é libertado para se aventurar mais uma vez. O Guerreiro-Amante é capaz de acessar a própria força considerável desse arquétipo, sem as suas vulnerabilidades e limitações. De fato, o Guerreiro-Amante pode usar as qualidades positivas do Órfão e do Peregrino também. Ele irá reverenciar o senso de segurança que o Órfão valoriza e irá honrar a investigação honesta que motiva a vida do Peregrino, mas não permitirá que nenhum desses aspectos domine quem ele é.

Afirmando a energia do arquétipo

Se desejarmos viver e sentir a energia do Guerreiro-Amante em nossa vida, podemos trazer à mente aquelas pessoas com quem tivemos conflitos que, num momento posterior, foram superados. Você tem alguém assim em sua vida? Caso positivo, mantenha uma imagem mental dessa pessoa para evocar o poder que você tem ao brigar, e a necessidade de permanecer aberto e amoroso. Um homem narrou com detalhes como um colega do ensino médio, a quem ele mais odiava, tornou-se a pessoa que lhe era mais cara e lhe inspirava mais confiança, mesmo tendo levado anos para chegar até esse ponto. As fotos de calouros na faculdade podem, às vezes, desempenhar o mesmo papel, quando examinamos quem acabou se tornando amigo e por que motivo.

Mais uma vez, podemos escolher uma ocasião em que tivemos de persuadir outras pessoas a fazer as coisas do modo que julgávamos melhor e, mesmo precisando discutir, mantivemos nosso ponto de vista e, ao mesmo tempo, a relação permaneceu amigável. Como foi viver essa experiência? Conseguimos ser receptivos, escutar o que os outros tinham a dizer? Lembremos, para o Guerreiro-Amante nunca se trata tão somente do resultado final, mas de saber se as pessoas são capazes de trabalhar juntas, de um modo direcionado. Um exemplo diferente é o do homem que tinha uma fotografia de um belo carro antigo, o qual, segundo explicou, ele havia comprado com quase todo o dinheiro que tinha. Seus amigos o consideraram louco. Ele permaneceu fiel à sua intuição e, muitos anos depois, obteve um enorme lucro, quando o carro se revelou um artigo muito popular e na moda. Ele se lembrava do quanto havia se aferrado ao seu ponto de vista, mesmo quando seus amigos lhe negaram apoio, e como o dinheiro tornou possível que ele refizesse a sua vida. Na verdade, ele havia refeito a própria vida no momento em que se recusou a fazer o que sempre havia feito, ou seja, ceder à pressão dos pares.

Um outro homem lembrou como ele teve de lutar para construir uma vida decente para sua esposa e ele próprio, uma vez que eram ambos escritores e não ganhavam muito dinheiro. Ele lembrava com prazer daquela época, pois eles faziam o que sentiam que deviam fazer, vivendo a vida como necessitavam e, mesmo não tendo produzido nenhum *best-seller*, não existia arrependimento algum entre eles. Esse é o poder do Guerreiro-Amante. Seja o exemplo que você escolher, concentre-se nele por causa da energia que ele trouxe à sua alma; e quando fizer isso, irá reativar o arquétipo e afirmar o seu poder.

Nos meus *workshops*, eu sei quanto isso é difícil. Peço que as pessoas façam o seguinte exercício: os participantes são solicitados a formar pares com alguém que eles não conhecem. A seguir, concedo a cada pessoa alguns momentos para pensarem sobre algo que fizeram, ou sobre uma situação específica em relação a qual se sentiram bem. Quando cada um tiver o evento em mente, peço que conte a seu parceiro em exatamente dois minutos. Durante esse tempo, o parceiro não tem permissão de interromper ou tomar notas. Depois que a primeira pessoa falou, a segunda pessoa tem dois minutos para repetir o que ela escutou. Sem interrupções, sem comentários. A primeira pessoa, então, deve dizer se o ouvinte entendeu direito ou não. A seguir, os papéis são trocados. Depois que todos terminam, peço que os participantes compartilhem qualquer coisa que observaram durante o exercício. É sempre interessante notar quantas pessoas sentem que não conseguem se orgulhar de nada, e quantas outras temem que sejam vistas como gabolas. Fico igualmente surpreso em ver como muita gente é generosa ao elogiar o parceiro por ter expressado abertamente a sua opinião.

Se o exercício corre bem (e geralmente é o que acontece), ele permite que cada pessoa expresse algo de que sente orgulho e que ela seja reconhecida pelo parceiro. Muitas vezes se ouve acerca de ações surpreendentes, em que fica evidente a presença de abundante coragem e inteligência, e esses acontecimentos foram guardados em algum canto da memória.

O exercício pede que reavaliemos a nossa noção de atividades bem-sucedidas no mundo que conhecemos, e é às vezes acompanhado de sorrisos e lágrimas, conforme as pessoas se lembram de como foram realmente corajosas e incisivas. Elas se descobrem sentindo-se bem acerca do que realizaram. Relembram a sua coragem e seu senso de ter feito algo que vale a pena, e isso quase sempre diz respeito a uma ação compassiva. Desse modo, elas aprendem a sentir e *afirmar* a energia do arquétipo Guerreiro-Amante. É um bom exercício para se fazer de quando em quando, uma vez que a coragem, como tantas outras coisas, tende a enfraquecer quando não é usada. Uma pergunta para fazer a si mesmo é: você, em geral, se atribui padrões que incluem a coragem? Se alguém estiver agindo de maneira ofensiva, você pergunta para essa pessoa, de modo compassivo, se não haveria outra maneira de fazer as coisas? A maioria de nós não pergunta.

O Guerreiro-Amante no Tarô

Três cartas, de números 6, 7 e 8, todas parecem refletir o caminho para o Guerreiro-Amante, e é interessante notar que elas separam esse arquétipo em aspectos complementares. A carta número 8 é chamada A Força. Vê-se nessa carta uma figura feminina, possivelmente uma rendição da Natureza, domando um leão. Essa é uma representação da força e gentileza do aspecto "feminino" do eu, domando e equilibrando a energia "masculina".

A carta seguinte, O Carro, de número 7, tem como figura central um soldado triunfante dirigindo uma carruagem puxada por duas esfinges: uma branca e uma negra. Aqui há o equilíbrio novamente, branco e preto, e está claro que o soldado tem controle sobre as esfinges e sua natureza potencialmente destrutiva, de modo que ele representa o poder civilizador da força moral. Em geral há um consenso de que esta é a carta que reflete os atributos racionais, lógicos e masculinos, e a ausência do emocional.

A carta número 6, Os Enamorados, mostra duas figuras nuas, que são provavelmente Adão e Eva, com a árvore do conhecimento, no Jardim do Éden. Isso se confirma porque na árvore, por trás da figura feminina, há uma serpente, e atrás da figura masculina, há uma outra árvore, possivelmente a Árvore da Vida. Acima deles há um anjo, que parece estar abençoando-os. O que nos impressiona nessa carta é o equilíbrio, a simetria. Essa é uma imagem de amantes que são puros e iguais, e que não perderam o seu Paraíso; o anjo abençoa a franqueza deles.

Olhando para essas três cartas juntas podemos ver que a Força é uma figura do poder feminino; O Carro é certamente uma imagem masculina; e Os Enamorados, no Jardim do Éden, transmitem equilíbrio e pureza. Lembramos que Adão e Eva foram, pelo menos por um tempo, fiéis um ao outro e fiéis a Deus; a eles também foi dado o domínio sobre todos os animais da Terra. Eles não precisaram se esforçar para controlar as outras criaturas, porque já estavam no comando. As três cartas parecem formar uma descrição daquilo que o Guerreiro-Amante tem de atingir, um passo de cada vez. A figura feminina domina o leão, mas não o mata; ela representa o controle das emoções e a necessidade de uma conexão direta com o mundo emocional visceral. O soldado controla o poder das esfinges míticas, tidas como espíritos do mal, e assim a carta pode ser vista como o rigor intelectual na recusa da predominância de pensamentos meramente destrutivos. Os Enamorados são vistos como inocentes e puros e em estreita comunhão com a vontade de Deus. Os Enamorados, é claro, é a carta mais "elevada" do conjunto de três, ressaltando o conceito dessas três como uma progressão.

Cada carta retrata uma qualidade que pode facilmente ser transformada em sua oposta. Elas parecem dizer que a força não é a única maneira de controlar a selvageria, que o triunfo pode se tornar tirania e arrogância, e que o amor pode se tornar comodismo (lembre-se, Adão e Eva ofenderam a Deus, pois assumiram muito poder). O equilíbrio entre o poder e a emoção é o tema recorrente. Nessa condição, essas três cartas parecem refletir a situação do Guerreiro-Amante.

Os praticantes experientes do Tarô podem considerar essas leituras um pouco diferentes, se comparadas ao seu uso rotineiro. É difícil dizer, uma vez que as cartas do Tarô têm significados que dependem de onde elas aparecem num padrão disseminado de leitura, de qual padrão é utilizado e de qual baralho é escolhido. E isso antes de levarmos em conta que cada indivíduo que consulta as cartas tem uma situação de vida que fará que os significados pessoais daquelas cartas variem. A questão aqui não é desafiar a sabedoria dos leitores de Tarô, mas sugerir que essas cartas também podem conter outra camada de significado que funciona de um modo bastante diferente. A tarefa tem sido vincular as imagens nas cartas aos estágios arquetípicos que estão sendo examinados, e está bastante claro que existe suficiente correspondência para nos prover de lembretes visuais significativos, sugestivos e produtivos das qualidades essenciais dos arquétipos.

Exemplos da vida real

Os exemplos do Guerreiro-Amante na vida real nem sempre são fáceis de se localizar. Isso acontece porque as pessoas que atraem a atenção do público geralmente estão atravessando esse estágio, permanecendo aí apenas por um curto período de tempo, antes de se tornarem Monarcas. Entretanto, ainda assim é possível encontrar diversos exemplos, se nos dermos ao trabalho de procurar. Angelina Jolie era certamente uma atriz muito bem-sucedida e problemática, com suas tatuagens, sua coleção de facas e sua vida particular confusa. Em determinado momento, entretanto, ela se tornou mais do que apenas mais uma rebelde de Hollywood e começou a interessar-se pela adoção e orfanatos pelo mundo todo. Isso pareceu coincidir com seu caso amoroso com Brad Pitt, que a incentiva, mas é muito menos envolvido em trabalhos beneficentes. Será demasiado dizer que uma experiência de sucesso no amor, que parece ter criado uma afeição duradoura, a levou a ser capaz de maior eficácia no domínio dos trabalhos públicos, e não apenas no cinema? Os atritos amplamente divulgados com Jon Voight, seu pai, podem ter causado a ela sentimentos de Órfão no passado; mas agora ela parece estar usando sua ferida de uma maneira produtiva. Ela adotou três crianças, além de ter seus próprios filhos. É difícil conhecer a motivação exata de figuras públicas (os seus assessores de imprensa sempre têm uma história verossímil para contar), portanto resta ver se a sra. Jolie irá se desenvolver na direção que parece ter tomado. Contudo, é evidente que ela não está envolvida consigo mesma. Os seus críticos na imprensa podem insinuar que ela faz isso apenas para mostrar estilo, mas o absoluto nível de compromisso requerido para criar seis crianças, mesmo em meio a muita prosperidade, leva a discussão para além de uma simples afirmação de estilo. Ela demonstrou a capacidade de desenvolver um amor que tinha uma base pessoal e levá-lo ao mundo externo, trabalhando como Embaixadora da Boa Vontade das Nações Unidas e defendendo a causa dos refugiados em âmbito internacional. Agora outras celebridades estão também adotando crianças (Madonna é uma delas).

Um exemplo mais controvertido pode ser visto nos Clintons: quando Bill Clinton teve o seu caso com Mônica Lewinsky, inúmeros arquétipos borbulharam até a superfície de maneiras inesperadas. Clinton cometeu um enorme erro no qual, num nível elementar, ele não via realmente quem era Mônica ou o que ela poderia fazer. Estava tão cheio de si como presidente (uma situação de Monarca, se é que ela existiu) que ele não conseguiu vê-la como um ser humano passível de mágoa e desejos de vingança. Ele considerava que sairia impune de qualquer situação e, quando o ego surge dessa maneira, o arquétipo do Monarca logo se degrada.

Bill Clinton provou ser um político hábil e um homem que queria servir o seu país. Ele foi, no mínimo, um Guerreiro-Amante e, conforme ascendia em estatura internacional, parecia-se muito com um Monarca. No entanto, ele enganou e desrespeitou no mínimo uma das pessoas que eram de sua responsabilidade proteger, ao mesmo tempo que foi infiel à sua esposa, sem nenhum ganho real que se possa apontar. O resultado foi bem pior do que o esperado: enquanto o Poder Executivo ficou ligado a esse escândalo, nada foi feito em relação aos massacres nos Bálcãs, por exemplo.

Mônica, como se soube, tinha esperanças de que o presidente deixasse a esposa para ficar com ela, e esse é o exemplo mais extremo do pensamento Órfão. O príncipe viria e a arrebataria, e tudo seria perfeito. Bem, ela era jovem e ingênua, e o presidente se aproveitou dela, bem como os inimigos dele, para que ela não fosse acusada pela situação. A parte triste era que Clinton não a via como uma pessoa, ou teria sabido que ela era uma Órfã vulnerável, e nem sequer pensava em passar algum tempo com ela. O ego de Clinton o cegou para a observação básica daqueles à sua volta, e ele perdeu de vista o bom-senso e a compaixão verdadeira. De diferentes maneiras, isso poderia ocorrer a qualquer pessoa que é venerada como herói. Seja um caso de astros de basquete da NBA[*] que fazem sexo com mulheres jovens e depois se veem nos tribunais em processo judicial de paternidade, ou de presidentes fazendo sexo na Sala Oval, as situações são mais ou menos as mesmas, ainda que os resultados sejam completamente diferentes. As pessoas que são Monarcas em uma área da vida se tornam alvos daqueles Órfãos que desejam levar uma vida mais fácil.

---

[*] NBA, sigla de *National Basketball Association* (Associação Nacional de Basquete). (N.T.)

Em seguida, Mônica não fez muitas coisas com a sua celebridade. Ela lançou uma grife de bolsas, que teve algum sucesso, por tirar proveito do reconhecimento de seu nome, mas desapareceu da vista pública. Talvez algum dia ela se torne uma pessoa realmente interessante; no momento ela é uma órfã, e mostra poucos sinais de passar disso.

Bill Clinton emergiu como uma figura charmosa, mas menor em vários sentidos. Podemos vê-lo como um Guerreiro-Amante que ascendeu a Monarca por um tempo, antes de estourar o escândalo, e que, então, teve de descer ao nível do Peregrino, enquanto repensava a sua vida. Hillary, por outro lado, mostrou sinais de desenvolvimento real. Ela se tornou senadora dos Estados Unidos, é claro, apesar das críticas e reclamações de muitas pessoas que queriam derrubá-la, e seguiu adiante atrás da indicação de candidata presidencial do Partido Democrático. Esse envolvimento em um trabalho significativo pelo seu país mostrou-a, no mínimo, como um Guerreiro-Amante, e quando Bill apareceu em vários locais para ajudar com a arrecadação de fundos, vimos que ela podia ser leal ao seu marido sem ser uma pessoa fácil de derrotar. O Amante compassivo não subverteu o Guerreiro dentro dela. Isso demonstrou que ela conseguia usar a própria cabeça, sem ceder às suas emoções de uma maneira não disciplinada. Ela mostrou que queria servir a seu país e não seria desviada desse foco. Melhor ainda para um político: ela demonstrou que pode permanecer em bons termos com seu marido, apesar do ocorrido, o que é uma habilidade muito útil e que ela certamente usa, sempre que tem de chegar a um consenso com outros de quem discorda, mas cuja orientação política geral ela respeita. Aparentemente ela atingiu diversos atributos do Monarca equilibrado.

Bill Clinton teve de replanejar a vida até certo ponto, e decidiu ser um diplomata usando uma experiência considerável em unir as nações. De muitas maneiras, ele redescobriu a si mesmo, depois de passar um tempo como Peregrino. Deu sinais de estar ascendendo novamente ao nível do Guerreiro-Amante e mais. Sua lealdade renovada a Hillary e ao trabalho significativo mostra sua compaixão e sua coragem em face da crítica pública. Teremos de esperar que a história passe seu veredito final.

Talvez o melhor lugar para se ver o Guerreiro-Amante em ação seja nas autobiografias escritas por pessoas que passaram por esse estágio. Dennis Watlington, o roteirista de TV e cinema, vencedor do Emmy, registra em sua autobiografia *Chasing America*[20] como ele saiu da pobreza do gueto dos negros, de um sofrimento espantoso, e chegou ao sucesso e a uma vida de realizações, com ajuda da boa sorte. Agora, ele leva a história de sua vida para escolas e faculdades dos bairros pobres, com plena consciência de que, "seja o que for que essas crianças fizeram, eu fiz pior ainda" e de que ele pode lhes mostrar como seguir adiante. Descreve a si mesmo como um

Guerreiro para a Paz, que é exatamente o que é, na medida em que mostra a crianças problemáticas e descontentes que há um modo melhor de seguir adiante. Ele descreve em sua autobiografia e em suas palestras que estava na prisão na década de 1960, quando ouviu pela primeira vez os Beatles cantando "All You Need is Love".[21] Até ali, achava que o amor fosse um conceito bobo para pessoas embotadas, especialmente pessoas brancas. "John Lennon me mostrou que a gente pode ser homem e amar. A gente não tem de ser ruim para ser homem. Mal pude acreditar que isso nunca tinha passado pela minha cabeça antes." O amor, que ele havia desprezado como uma forma de fraqueza, surgiu então com uma força intensa de cura; e, desde aquela época, ele mantém essa convicção.

Quando Dennis fala, e quando ele lê, percebemos que é um sobrevivente que não tem nenhuma intenção de esfregar as privações do passado na cara de ninguém. Está interessado em saber para onde podemos ir a partir daqui, a fim de criar um futuro produtivo. Nem mesmo pensa em agir em interesse próprio ou chafurdar nas mágoas passadas, uma vez que sabe que isso não leva a nada de bom. É impressionante ver como ele transformou suas mágoas passadas no fortalecimento público daquelas pessoas que mais carecem disso, sejam negros ou brancos. Como ele diz: "Nós percorremos um longo caminho em cem anos. Vamos tentar ir além em direção da igualdade, e esquecer o passado". Dennis foi um viciado em heroína e se recuperou duas vezes, portanto ele conhece tudo acerca do que significa deixar o passado para trás, com determinação e consciência.

Em seu trabalho com crianças carentes e com estudantes de faculdade Dennis é um Guerreiro-Amante, e seu efeito sobre o seu público é que ele o encoraja a se afastar da desesperança e da dor. Nessas ocasiões ele se torna um Mago também, tocando os corações de modo surpreendente.

Notas

1. *Oedipus Rex* e *Antigone* estão ambos em *Sophocles, The Complete Greek Tragedies*, org. David Grene e Richard Lattimore (Chicago: Chicago Univ. Press, 1991).
2. *Antigone* foi reescrito de maneira mais notável por Jean Anouilh, que encenou essa versão na Paris ocupada pelos nazistas em fevereiro de 1944 (não foi um ato tímido, dado o seu tema do confronto da tirania), e houve versões, inclusive uma de Jean Cocteau e até mesmo uma ópera de Carl Orff.
3. *The Apprentice*, NBCTV, janeiro de 2004, com Donald Trump.
4. *Vênus e Marte,* de Botticelli, está na National Gallery, em Londres.
5. George Eliot, *Daniel Deronda* (1876), Penguin Classics, 1996.

6. George Eliot, *Middlemarch* (1872), Signet Classics, 2003.

7. De maneira interessante, o tema de Sir Galahad e a Busca do Santo Graal foi pintado como uma série de ornamentos nas paredes da Public Library de Boston, em 1895, por Edwin Austin Abbey. Essa localização sugere que a leitura e a erudição também são buscas pela verdade, que demandam a pureza de coração. Isso nos diz que se pode ser um Guerreiro-Amante acadêmico.

8. John Bradshaw, *John Bradshaw on the Family: A New Way of Creating Solid Self Esteem* (HCI, revisado em 1990). Ver especialmente p. 12.

9. Rudyard Kipling, *Barrack Room Ballads,* primeira publicação em 1898. Reeditado pela Dodo Press, 2005.

10. Keats refere-se a "Um Vale de Elaboração da Alma" em uma carta a George e Georgiana Keats, em 21 de abril de 1819. Em *The Letters of John Keats*, org. H. E. Rollins, 1958, vol. 2.

11. John Gray, *Men are from Mars, Women are from Venus: The Classic Guide to Understanding the Opposite Sex* (Nova York: HarperCollins, 1992). John Gray escreveu muitas versões deste título.

12. Tom Brokaw, *The Greatest Generation* (Nova York: Random House, 1998).

13. *Twelve O'Clock High*, produzido por Darryl Zanuck, 1949.

14. Robert Bly, PBS entrevista: www.pbs.org/kued/nosafeplace/inter/bly.html

15. Stephen Crane, *The Red Badge of Courage* (1895). Amplamente reeditado.

16. Sonia Sanchez, *Just Don't Never Give Up on Love. Callalloo,* John Hopkins Univ. Press, nº 20, 1984, pp. 83-5.

17. Richard Lovelace, *Poems.* Sempre reeditado.

18. Harold Bloom, *The Western Canon* (Florida: Harcourt Brace, 1994). "Creio que o eu, em sua busca de ser livre e solitário, em última instância lê com apenas um objetivo: o de enfrentar a grandeza." p. 524.

19. C. G. Jung, *Complete Works*, vol.14, p. 346. "A morte é de fato um evento assustador de brutalidade... De um outro ponto de vista, entretanto, a morte aparece como um evento alegre. À luz da eternidade ela é um casamento, um *mysterium coniunctionis*. A alma atinge, por assim dizer, sua metade que falta. Ela atinge a totalidade."

20. Dennis Watlington, *Chasing America: Notes from a Rock'n'Soul Integrationist* (Nova York: Thomas Dunne Books, 2004). Todas as citações são de conversas particulares com o autor em agosto de 2007.

21. The Beatles, *All You Need Is Love.* Primeira difusão em 25 de junho de 1967.

Capítulo 8

O Par de Monarcas

O Par de Monarcas é mais bem descrito por comparação. Se o Guerreiro-Amante é a imagem de uma pessoa capaz de ser realmente aberta, honesta e vulnerável com outra pessoa, então o par de Monarcas exibe a mesma qualidade, exceto que ela é estendida além do par e para o mundo todo.

O Rei e a Rainha juntos representam a fusão do masculino e do feminino; o decisivo e o prestativo, o executivo e o carinhoso; yin e yang. Um rei deve ser capaz de tomar decisões difíceis e viver com elas. Talvez essas decisões envolvam a condenação de outras pessoas pelo bem maior da sociedade. Os criminosos devem ser encarcerados, talvez executados. Os cidadãos virtuosos também devem ser recompensados e os indivíduos transgressores corrigidos de tal maneira que não se tornem alienados. A população deve ser cuidada, ou se rebelará; contudo, deve pagar seus impostos e servir as estruturas sociais, ou o estado não conseguirá se administrar. Um governante deve saber quando ser firme e quando ser gentil e, como um bom pai, deve, em certas ocasiões, mostrar amor por meio da severidade. A história está atravancada de exemplos de líderes masculinos que foram depostos porque não conseguiam atingir esse equilíbrio e, quer fosse a Guerra Revolucionária contra o rei George ("Nenhuma taxação sem representação!"), quer fosse o reino do Terror na Revolução Francesa, o governante não estava alerta o suficiente para as necessidades daqueles que estavam sendo governados.

O vínculo entre governante e governado é, em sua essência, um vínculo amoroso. De fato, a situação é diretamente comparável ao que acontece à maioria dos pais. Os pais amam um ao outro (nós esperamos) ou ao menos imaginam que sim, e quando eles geram filhos, eles descobrem que amam seus filhos também. Contudo, um recém-nascido significa muito trabalho. As crianças exigem amor e esforço, tempo e dinheiro em abundância, e mesmo quando crescem, tendem a ter necessidades consideráveis. Filhos crescidos têm suas crises, precisam ser aconselhados, às vezes até mesmo desafiados e, às vezes, sua aflição é tamanha que eles precisam ser tratados como dependentes novamente. A situação do Monarca é tal que ele descobre ser necessário estender as lições do amor além das fronteiras do casal.

Os desafios do Par de Monarcas

Conforme sabemos, as crianças crescem para ser pessoas independentes. Os pais irão amar a criança e, contudo, muitas vezes ficarão espantados de ver como cada filho pode ser tão diferente. "De onde veio isso?", declarou uma mãe, rindo de seu garoto obcecado por matemática. "Não sei de quem ela herdou isso. Nem o pai dela nem eu temos nenhuma aptidão para isso", confessou uma mãe sobre a habilidade musical de sua filha. À medida que os anos passam, a criança pode se parecer mais ou menos com os pais, e isso pode levar a mal-entendidos. O desafio para o Monarca é amar outras pessoas (por mais que sejam diferentes de nós) e tentar tratá-las de maneira igual e cuidar de todas de maneira apropriada.

Todos nós sabemos como isso é difícil; cada família tem os seus favoritos. Papai e Suzie são próximos, gostam das mesmas coisas e pensam do mesmo modo. Papai não consegue entender Bill e o considera difícil. Ele pode não gostar de seu filho tanto como de sua filha. Embora ele sempre tenha desejado um filho que gostasse de basquete (e Bill não suporta basquete), sua tarefa como pai é amar ambas as crianças da mesma maneira e não tentar moldá-las de um modo que não combina com o que elas são. Em meu trabalho terapêutico, sempre me deparo com esse exato problema. Filhos adultos não sentem que foram amados, não sentem que foram compreendidos, apreciados ou percebidos. A lista continua. Às vezes a questão subjacente é que os pais estavam tão presos ao seu fascínio mútuo que os filhos não tiveram uma oportunidade real de causar impacto. Em uma família, os pais estavam totalmente absortos em discutir um com o outro, quase todos os dias; eles não desejavam terminar o casamento e, na verdade, discutir *era* a maneira de eles se relacionarem melhor. Quando brigavam ao menos estavam se relacionando de forma apaixonada, de uma maneira que garantia que cada um tivesse a atenção total do outro. Não era de surpreender, então, que as crianças se sentissem como espectadoras na família. Quando cresceram, elas se mudaram para muito longe dos pais, e umas das outras, e as possibilidades de elaborar e corrigir a negligência emocional foram reduzidas de maneira drástica.

O dever do pai (ou mãe), portanto, se quiser ser um Monarca (que representa o equilíbrio entre masculino e feminino, Rei e Rainha), é amar os filhos e respeitar a autonomia de cada criança em qualquer atividade em que ela se empenhe, por mais que esta seja diferente dos próprios valores dos pais, e fazer isso sem um julgamento coercivo. Se isso tiver a possibilidade de acontecer, os pais poderão passar para um lugar de aprendizagem, e até mesmo de espanto, que faz que respeitem ainda mais as competências da criança. Isso deve acontecer quer o Monarca forme ou não um par. Não obstante, a imagem arquetípica mostra, de maneira específica, um par de masculino e feminino. Assim como existe pressão para que o rei ou a rainha se case, em qualquer país onde exista a monarquia, também parece ser o caso de que o arquétipo ocorra apenas como parte de um par. Isso não significa que os pares possíveis sejam formados somente entre homens e mulheres. Suspeito que o arquétipo esteja nos contando uma verdade psíquica importante: que, para estar no nível do Monarca e permanecer lá, a pessoa deve ter equilibrado os diferentes aspectos dentro de si mesma, e essa tarefa é mais bem cumprida quando se está num relacionamento amoroso de iguais. Eis o ponto essencial: a outra pessoa nem sempre tem de estar presente. Na verdade, a outra pessoa pode estar viva, ou morta há muito tempo, um amante ou um irmão ou um mentor; o que parece importante não é quem a pessoa é ou foi, mas se o vínculo amoroso permitiu que o Monarca aprendesse o equilíbrio necessário, internalizasse essas qualidades e permanecesse com elas. Uma recordação de amor pode ser tão eficaz como uma pessoa viva, e pode nos lembrar de honrar e amar o que essa pessoa tem a nos oferecer, de modo que possamos, por nossa vez, respeitar os outros, especialmente os nossos filhos. À nossa volta podemos observar exemplos de pais (mães) solteiros(as) que atingiram essas qualidades internamente, e que as demonstram todos os dias.

O artista, cuja filha se forma em biologia marinha, talvez nunca compreenda a sua fascinação por algas, mas pode muito bem se encantar com a dedicação da filha em relação ao tema, e descobrir uma proximidade pessoal mesmo dentro dessas diferenças. O músico clássico, cujo filho toca numa banda *heavy metal*, pode não gostar da música, mas ainda assim admirar o nível de interesse do filho pelo campo escolhido. Todas essas são lições nas quais o amor é solicitado a erguer-se acima das meras preferências. Segundo um antigo provérbio judaico que uma vez ouvi de um rabino: "As famílias são o modo de Deus nos dizer que temos de amar pessoas de quem talvez não gostemos muito".

Se mantivermos as comparações no nível da família, entretanto, não seremos capazes de ver em que o Monarca difere do Guerreiro-Amante. A diferença é em termos de escala. O Monarca levará essas lições familiares e as aplicará a todo o seu mundo. Assim, o verdadeiro Monarca pode ser a pessoa que dirige uma organização comunitária, ou uma empresa, aplicando os mesmos padrões que acabamos de examinar no interior da família, àquelas pessoas que não fazem parte da família, e que estão numa relação diferente no que diz respeito ao poder. Essa é uma tarefa descomunal. No mundo dos negócios, às vezes vemos posturas confusas dentro das empresas, que querem ser vistas como uma "família" ou uma "comunidade" dedicada à qualidade. Na maioria das vezes, isso não passa de uma bobagem das relações públicas, sem relação com os bens e propriedades do privilégio executivo, ou com a dominação insensível da força de trabalho, que se tornou sinônima de rentabilidade. Para os nossos propósitos, temos de reconhecer que a organização de sucesso, baseada na compreensão mútua, requer um equilíbrio de ambos os aspectos: a humanidade e a eficiência, que é exatamente o que o Monarca tem de atingir. O Monarca de sucesso deve escutar o que os súditos necessitam. A empresa de sucesso sempre se sairá muito melhor se a diretoria ouvir os funcionários, que podem lhe dizer de suas necessidades no trabalho; a consciência disso é um aspecto importante da tomada de decisões.

Outras estruturas podem nos oferecer algumas dicas. Um Exército talvez esteja composto de comandantes que sejam insensíveis, e até mesmo desagradáveis, mas o comandante de sucesso também será amado, e isso – é surpreendente – acontece muito. Os comandantes ou líderes que são amados e respeitados, obedecidos e estimados, tendem a ser aqueles que são abertos e diretos. A enorme lealdade conferida a alguns líderes não depende da distância que eles mantêm. Depende de as pessoas que eles lideram sentirem-se ou não compreendidas, reconhecidas e cuidadas, o que, em qualquer outra circunstância, seria chamado de amor. Em troca, os cidadãos e soldados oferecem a sua devoção, e muitas vezes a sua vida, para as tarefas que se lhe atribuem. Em um exército desmoralizado, ou uma nação em sofrimento, o principal ingrediente é sempre o sentimento de que os líderes não sabem ou cuidam do que está acontecendo na vida cotidiana das pessoas, e assim existe pouca confiança ou coragem verdadeira. É de praxe que os presidentes e senadores sejam afastados do cargo por votação exatamente por esses motivos.

Para voltar ao pai (ou mãe) Monarca, então, podemos dizer que essa figura deve ter as habilidades para desenvolver uma relação íntima com o cônjuge, ao mesmo tempo que mantém um envolvimento vital com o mundo. Se considerarmos isso no sentido maior do Monarca como um líder de uma nação, ele tem de confiar em certos conselheiros de maneira implícita (assim como entre um casal há confiança mútua) e ainda assim ter consciência de que até mesmo esses conselheiros podem ter defeitos e incompetências. Eles devem ser amados, respeitados, ouvidos e suas ideias devem receber uma adequada consideração. O Monarca também ouvirá sobre as necessidades dos súditos (assim como um pai em relação aos filhos) e decidirá qual a melhor ação para o bem das pessoas envolvidas, mesmo se isso tornar alguns súditos muito perturbados. O Monarca percebe que, mesmo quando foram tratados com respeito, nem todos ficarão felizes com o resultado e que isso, simplesmente, faz parte. O Monarca aprende a não levar nada para o lado pessoal. Defenderá o que é correto e estará preparado para lidar com as queixas e reclamações daqueles que têm outras opiniões e, na verdade, reconhecerá a diferença de opinião como uma parte essencial de um processo aberto. O ego, que até agora tendia a ser associado com o desejo de uma pessoa de obter o que quer, é agora usado como um adjunto ao raciocínio claro. Não se trata mais de ser visto como alguém que acerta, mas de *fazer* o que é certo.

Para a maioria de nós, viver dentro de uma família e uma comunidade, e tratar a todos de uma maneira respeitosa significa, geralmente, colocar as próprias necessidades de lado. Embora as "próprias necessidades" sejam a maneira como o expressamos, se nos dermos ao trabalho de um exame atento, teríamos de dizer que o bem-estar de todos aqueles à nossa volta é de fato uma "necessidade" nossa, tanto quanto qualquer outra coisa. O diretor de empresa que lida com seus funcionários de maneira justa irá assegurar a sobrevivência, em longo prazo, da empresa, enquanto ele treina outros diretores de mentalidade parecida, que finalmente assumirão o cargo. No nível familiar, se desenvolvermos relacionamentos amorosos com nossos filhos, eles nos amarão pelo que somos até muito tempo depois de possuirmos qualquer bem material para lhes oferecer, por exemplo. E eles serão as pessoas que nos ajudarão a enfrentar nosso declínio físico, à medida que envelhecemos. Eles serão aqueles a quem delegaremos o controle, quando ficarmos fracos demais para administrar nossas responsabilidades. Eles são aqueles que nos ajudarão a morrer. A tarefa do Monarca é ser capaz de instruir os outros até durante o processo da morte.

Hoje em dia, temos advogados, custódias e acordos obrigatórios que transferem a maior parte dessa responsabilidade para estranhos. Isso não deixa de ser uma boa ideia; contudo, em certo sentido, é um pobre substituto para o vínculo amoroso que se poderia esperar. Todos nós lemos nos jornais sobre famílias que, de uma maneira amorosa, desejam que os seus membros doentes tenham a permissão de morrer, e acabam descobrindo que essa decisão não é mais sua: é dos médicos ou do hospital. As leis compostas para proteger o indivíduo nem sempre levam em conta o que é piedoso e amoroso. Como poderiam? Pessoas que são estranhas às particularidades de situações específicas fizeram as leis. A ideia que desejo ressaltar aqui é que o que antes era uma oportunidade para que os pais exercitassem a confiança na transmissão gradual de poder dentro da família tornou-se, agora, uma função que é tratada somente por profissionais; isso torna mais difícil o aprendizado sobre valores espirituais.

Certamente a morte de um ente querido apresenta, a todos os envolvidos, oportunidades importantes de reavaliar o que é a vida e o amor. Quando morremos, parece não nos importar mais quanto dinheiro temos na poupança, ou como vai indo nossa coleção de vasos Ming. Tudo o que parece nos importar é se fomos amados no passado, se somos amados agora, e se as outras pessoas podem ver e sentir que nós as amamos. Uma vez que essas coisas são difíceis de conseguir quando as pessoas estão com dores, quando os parentes estão ansiosos e muitas vezes exaustos, e quando o vigor físico está faltando, talvez seja necessária a orientação dos rituais existentes. Felizmente, existe uma sabedoria considerável em alguns desses rituais. Por exemplo, o rito de extrema-unção da Igreja Católica não se trata apenas de uma confissão no leito de morte. Em vez disso, parece ser uma forma de tranquilizar o indivíduo de que Deus o ama, de que está esperando para recebê-lo, e de que, sejam quais forem os erros que cometeu, isso não importa mais à luz desse amor. Esse não é o único ritual para os moribundos, mas parece ser um dos mais ricos. Enquanto tal, ele se torna um modelo do que é a nossa tarefa quando morremos, e quais são os requisitos para aqueles que estão presentes nessa morte. É de notar que a extrema-unção não diz ao moribundo: "Você não pode ir ainda! Precisamos de você! Fique!!". O ritual não é acerca do desespero de fazer os vivos se sentirem melhor segurando o sofredor de volta; trata-se de permitir que o moribundo vá, em paz e no amor, sabendo que nada mais precisa ser expresso.

Uma vez que há alguns seres amados envolvidos na morte da maioria das pessoas, e uma vez que os seres amados podem não saber o que fazer, ou como agir (além de sofrer), a responsabilidade de fazer uma boa passagem encontra-se principalmente com quem é menos capaz de realizar muito: a pessoa que está morrendo. Morrer não é um acontecimento que se encaixa claramente dentro dos seis estágios, porque é bem possível que um moribundo progrida de maneira rápida, através de vários estágios, em muito pouco tempo. Face a face com a extinção, algumas pessoas mostram coragem e amor admiráveis e, como resultado, as suas mortes são uma grande dádiva para os outros. Umas poucas palavras, faladas do coração no momento certo, podem ter um impacto substancial na vida de outra pessoa. Um homem disse que se sentiu transformado pelo sorriso do pai que morria, e as palavras "Você é um bom rapaz". Poderíamos dizer que o filho estava projetando sentimentos na situação, e isso pode ser verdade; contudo, estaríamos ignorando a questão de que o pai, de alguma maneira, sabia o que dizer, e que era necessário dizer isso, necessário de ser recebido. As palavras talvez não entrem tão cedo para o *Oxford Book of Quotations*,* mas serviram ao propósito necessário, de modo que o filho se sentiu realmente amado e apreciado. O filho foi capaz de se restabelecer, e sua capacidade de viver bem ganhou melhores condições.

---

* Livro Oxford de Citações. (N.T.)

A tarefa do Monarca é ser capaz de instruir outras pessoas, seja qual for o nível de desenvolvimento que elas atingiram, a como lidar com a vida, a morte e a mortalidade com sucesso, pois o Monarca já obteve uma consciência vital acerca do que é necessário. Podemos dizer que ser capaz de usar a própria morte como um acontecimento que pode melhorar a consciência viva de outras pessoas é a dádiva suprema de um espírito amoroso.

O extenso aparato da tecnologia médica e das complexas tomadas de decisão, hoje em dia, interferiu na nossa capacidade de saber do que se trata a morte. De fato, é provável que esta seja considerada como um fracasso da ciência e das drogas de prolongarem a vida do ser amado, quando nos sairíamos melhor, em termos espirituais, se fôssemos capazes de ver com mais clareza as interações humanas.

Pontos a considerar:
Delegação

A maneira mais fácil de conceber esse arquétipo é imaginá-lo como a pessoa que confia, delega e cuida de outras, exatamente como faria um bom gerente ou o pai ou mãe hábil. O Monarca age assim porque esta é a melhor maneira de fazer que cada pessoa atinja seu pleno potencial, de modo que possa contribuir para o bem de todo o Estado. Esse é um modo de agir que implica riscos significativos; isso é típico da confiança. Mas o Monarca sabe que a tarefa não é permanecer no emprego e sim manter o equilíbrio dentro do reino. O mal irá surgir e pessoas más tentarão coisas desagradáveis, porque essa é a natureza das coisas. O Monarca deve cultivar o que é bom, de modo que possa lidar com o mal, contê-lo, e até mesmo aceitar a inevitabilidade de sua presença. Esse é um amor mais amplo, mais impessoal do que o que vimos até agora, no qual o mal é aceito sem repugnância, mas sem alegria também.

No quarto:
Amor como sacramento

Nas monarquias, o rei e a rainha estão tão expostos aos olhos públicos que a infidelidade não pode passar despercebida por muito tempo. Todos nós sabemos que os monarcas, através da história, tiveram amantes, embora esta não seja a expressão mais elevada do potencial de um Monarca. Não obstante, não estamos falando de coisas que tendem a acontecer no mundo. Estamos olhando para um arquétipo como uma imagem destinada a nos orientar.

O Monarca no quarto é alguém que tem a confiança típica de quem sabe que o parceiro é fiel, honesto e amoroso. Assim como o sexo entre rei e rainha tende a produzir crianças que serão a geração seguinte de governantes, o sexo para um Monarca tem o sentido de uma conexão profunda e produtiva que está sendo feita, a qual liga cada parceiro aos ciclos do tempo, da natureza, das realizações e da decadência final. Em parte, isso poderá ser explicado se considerarmos as lendas do Graal do rei Arthur: ali o Rei Pescador impotente é uma figura cuja incapacidade sexual é julgada responsável pela fome e desolação na terra, e ele tem de ser curado para que o reino possa prosperar novamente. Para Édipo, o casamento incestuoso com Jocasta provoca pragas sobre Tebas, e a terra fica seca, forçando-o ao exílio. A pessoa no nível do Monarca, de forma semelhante, sabe que o sexo e a sexualidade não se referem apenas ao amor e apego pessoal (embora isso esteja implicado), mas refletem os ciclos mais amplos da natureza, dos quais todos nós somos parte, e ante os quais deveríamos sentir espanto. O sexo para a pessoa no nível do Monarca torna-se uma celebração do misterioso, do belo e do apaixonado. Ao mesmo tempo o Monarca sabe que é apenas uma pessoa, envolvida em uma atividade amorosa com alguém que ama, e que ambos não têm, em última análise, muita importância cósmica. Só quando pudermos sentir essa qualidade fugaz de intensa alegria (na conexão com o ser amado), abençoada e tocada pela consciência de que logo estaremos todos mortos, é que conheceremos, de um modo indistinto, nosso lugar no universo. O sexo se torna mais do que o prazer sensual. Ele se torna uma afirmação de tudo o que é sagrado no amor, e tudo o que é redentor. Uma vez que toda criatividade vem, em última análise, de Deus, sempre que somos criativos repercutimos o que Deus faz continuamente pelo mundo, e o sexo amoroso, do tipo que estamos considerando aqui, desenvolve-se em mais amor, mais conexão e talvez até mesmo produza uma criança que será uma criação, um milagre comum também.

Neste ponto, o Monarca está fazendo parte da natureza miraculosa do mundo. Que a maioria de nós nunca dê valor a esse aspecto surpreendente não o torna menos miraculoso. Aqueles que estão cientes desse aspecto da vida tocam a essência do que é ser um Mago.

Sentindo a energia do arquétipo

Para entrar em contato com o poder do Monarca, é só pensar numa ocasião em que nos vimos incumbidos de uma tarefa. De que forma a administramos? Trabalhamos em harmonia com os outros, ou de modo despótico? Percebemos que a experiência nos ensinou a nos darmos melhor com as outras pessoas? Em caso positivo, devemos nos lembrar com prazer dessa ocasião e recordar dela em toda a sua totalidade. Algumas pessoas utilizam fotografias, em que aparecem com o time que lideravam. Se você tiver uma foto assim, olhe com atenção para ela. Tente se lembrar de todas as pessoas ali, as coisas boas e as ruins. Como era lidar com elas? O que isso exigiu? O que proporcionou? Lembrar eventos desse tipo pode ajudar a mobilizar o poder do Monarca. Hoje em dia, fotos de grupos são frequentes, abundantes e, por causa disso, às vezes são desconsideradas. Contudo, elas têm poder, se optarmos por evocá-lo e valorizá-lo. Se você estiver evitando, de maneira deliberada, os instantâneos em grupos, pergunte a si mesmo por que não quer ser identificado como parte de uma equipe de pessoas empenhadas numa atividade conjunta. Talvez não seja apenas timidez, mas um desejo real de não estar associado a outras pessoas. Nesse caso, considere uma situação diferente, em que você oriente outras pessoas, por exemplo. Todos temos o Monarca dentro de nós e, se quisermos, não é tão difícil entrar em contato com sua energia. Afinal, se não tentarmos encontrar a energia em situações modestas, será muito mais difícil mobilizá-la na íntegra e conhecer sua plena expressão.

Se você já experimentou o prazer de trabalhar com um parceiro, sabendo que estavam ambos produzindo um bom trabalho, esse exemplo pode realmente ilustrar o que é estar na energia do Monarca. No entanto, evoque tarefas de valor, que tenham envolvido uma confiança substancial na outra pessoa e suas capacidades; da mesma maneira, as tarefas terão incluído responder aos outros, escutar, orientar, atender a suas necessidades. Minha formação é de ensino, e eu vi professores em equipes que pareciam realmente trabalhar em absoluta harmonia umas com as outras, e isso tem sido uma inspiração. Observei, também, professores em equipes que apenas dividiam seus horários de aula usando um cronômetro, e que liam notas que certamente tinham décadas de idade. Se você já viu um trabalho de fato efetivo de uma equipe em ação, ou se já fez parte de uma, lembre-se dessa ocasião agora; talvez você possa até mesmo escrever os nomes, lugares e épocas. Permita-se sentir novamente esses momentos. É essa a energia.

O par de Monarcas no Tarô

Há diversas cartas que refletem o Par de Monarcas, e todas elas ocorrem juntas. O Hierofante, ou Sumo Sacerdote, número 5, costuma ser visto como a carta da sociedade e do casamento, que combina os interesses mundanos do Monarca de unir as pessoas certas com os parceiros certos, incluindo parceiros de trabalho. Até uma época relativamente recente, os membros das cortes reais da Europa não podiam casar sem o consentimento do monarca. Em certas famílias, era necessário obter a

A SACERDOTISA	**A IMPERATRIZ**
O IMPERADOR	**O HIEROFANTE**

permissão do pai antes que o casal feliz pudesse se dirigir ao altar. Do mesmo modo, as nomeações militares e civis eram todas feitas com a aprovação do Monarca. Essa carta, portanto, parece expressar o aspecto mundano do Monarca de regulador de um sistema social em funcionamento.

Os números 3 e 4 são A Imperatriz e O Imperador. O *status* mais elevado é o da Imperatriz, já que seu número mais baixo a coloca acima do Imperador na sequência. Nas cartas, A Imperatriz é mostrada em uma poltrona confortável, ao passo que O Imperador está em seu trono, segurando o cetro, claramente incumbido de coisas mundanas e com a aparência bem oficial. Dificilmente se poderia desejar uma versão melhor do Par de Monarcas, em termos do contraste estereotipado de seus atributos. Todavia, é de notar que as qualidades femininas da gentileza e do amor é que têm precedência.

A carta maior seguinte, à medida que subimos os valores numéricos, também é feminina. A Sacerdotisa, de número 2. Ela reflete O Hierofante, normalmente do sexo masculino, visto que fica entre dois pilares, sendo um branco e outro preto, numa postura muito semelhante. No entanto, no local em que O Hierofante tem dois monges ajoelhados aos seus pés, A Sacerdotisa tem a lua crescente, consagrada a Ártemis, a deusa virgem. Atrás dela há uma tapeçaria mostrando figos maduros ou romãs partidas, uma óbvia referência sexual à vagina. A Sacerdotisa em algumas culturas tinha na verdade um posto mais elevado do que o governante. As sacerdotisas no oráculo de Delfos tinham pouco poder temporal, por exemplo, mas os reis procuravam seus conselhos antes de empreender ações decisivas e submetiam-se às suas sugestões. A Sacerdotisa é uma figura que pode unir os outros com o Divino.

Essas quatro cartas, juntas, parecem indicar o equilíbrio do poder temporal e do espiritual que o Par de Monarcas atinge em seu patamar mais elevado; isso é retratado como uma série de passos, dos quais A Sacerdotisa é o mais elevado. Esse é um conjunto de imagens ricamente sugestivo, e não podemos ignorar as correspondências estreitas que elas partilham com esse estágio arquetípico.

O Monarca no mundo real

Um dos exemplos mais óbvios do Monarca em nosso mundo teria de ser Oprah Winfrey. Como todos nós sabemos, ela superou um passado difícil até chegar a ter sua própria empresa de televisão. Agora ela utiliza esse poder e influência para mostrar o que as outras pessoas têm de melhor. A sua escola para meninas na África do Sul exigiu uma enorme quantidade de dinheiro e tempo para ser estabelecida, e ela assumiu esse projeto de maneira deliberada, por ter reconhecido que, para que o país fomentasse o potencial de liderança de seus cidadãos, ele teria de investir no talento das pessoas até então destituídas de poder e ignoradas: as mulheres. Oprah determinou-se a mudar os desequilíbrios óbvios de uma sociedade em crise; ela o fez pensando com clareza sobre o que era prático, possível e lógico. O estilo dela é monárquico, no sentido de que ela não realizou pessoalmente todo o trabalho. Em vez disso, procurou os melhores conselhos, ouviu as outras pessoas, pesou a situação e facilitou seu crescimento. É uma administradora de alto nível e inspiradora; ela sabe como delegar autoridade a quem confia. Ela é compassiva e também resoluta, o equilíbrio dos dois lados desse arquétipo, que precisam operar em harmonia. Esse é o Monarca enquanto administrador visionário.

Oprah foi criticada por muita gente e também é adorada por muito mais gente, porque é evidente que está tentando fazer com que todas as pessoas passem a um nível mais elevado de consciência funcional. Seu objetivo é que o mundo seja um lugar melhor, embora tome o cuidado de não se associar a nenhuma visão pessoal específica. Ela não diz: "Eu quero que seja desta maneira!". Em vez disso, parece perguntar como as coisas poderiam melhorar e, a seguir, ela deixa que a situação se desenvolva conforme seja necessário, em resposta às circunstâncias existentes. A visão estreita de como as coisas "deveriam" ser é a marca da pessoa que não está em condições de ouvir ou aceitar os pontos de vista dos outros. Essa visão cessa de ser viva ou aberta ao crescimento, e se torna meramente uma fixação. Oprah é mais experiente. Ela tem uma visão global e procura descobrir como esta irá se desenvolver em todas as suas ramificações. Por outro lado, George Bush tem uma visão de si mesmo alimentada pelo ego, do presidente vitorioso que conquistou o Iraque. Mas parece evidente que ele não tinha nenhuma ideia das implicações disso em longo prazo. Estamos atualmente pagando o preço por sua visão estreita e inadequada, que era mais relacionada à imagem do que à substância. Essa é uma paródia medonha dos métodos do Monarca.

Se olharmos para Oprah como uma Monarca de sucesso, veremos que sua ajuda provoca mudanças milagrosas de modo que, às vezes, ela será identificada como um Mago. Mas vale a pena fazer a distinção aqui, porque a orientação de Oprah é ajudar aquelas pessoas que, num momento posterior, possam continuar a melhorar as coisas por si próprias, de maneira independente. A sua ênfase é no aqui e agora, em corrigir injustiças óbvias, e não na relação que cada um de nós pode ter com uma consciência do Divino. É nesse ponto que o Monarca deixa de existir e o Mago assume.

Devemos ter consciência de que o Monarca pode aparecer mesmo quando já tivermos perdido a esperança. Vamos considerar novamente Bill Clinton. Ele talvez ainda seja perseguido por sua reputação pouco admirável; não obstante, o seu novo livro *Giving*[1] é notável, por sugerir que estamos aqui na Terra para fazer uma diferença positiva; ele, então, prossegue dando exemplos de pessoas que fizeram isso quando talvez não se esperasse isso delas. Inclui os ativistas de causas humanitárias beneficentes, de todos os níveis de renda; o dr. Paul Farmer* aparece ao lado de Bill Gates, por exemplo. Ele honra suas diversas realizações, ao mesmo tempo que sugere que seus exemplos estão à nossa disposição, para nos inspirar. Desse modo, Clinton resolveu descrever exemplos de ação efetiva e inspirar os outros – e assim ele retransmite o poder às pessoas. Foi preciso coragem para fazer isso, sabendo quantas pessoas cínicas estariam prontas para rir devido às suas más ações passadas. É preciso ter uma alma evoluída para conseguir ultrapassar os erros anteriores.

Usando Oprah, Clinton e outros como exemplos, podemos identificar outros Monarcas à nossa volta, embora em muitos a posição de Monarca se dê em menor escala do que as pessoas mencionadas; é possível, portanto, que passem despercebidos. Eu os encorajo a olharem à sua volta, perguntando-se onde estão os verdadeiros Monarcas no mundo. Se pudermos identificar esse potencial em nossos líderes, creio que será menos provável cometer erros na urna eleitoral e eletrônica. Também poderemos identificar as figuras na mídia que não são Monarcas, aquelas que usaram uma alta posição social para disseminar a tristeza, ou que nos provocaram uma forma negativa de pensamento. Essas são as pessoas a serem evitadas. Muitos dos programas de entrevistas que desfilaram diante de nós nos anos passados podem ter sido divertidos até certo ponto, mas alguns também nos encorajaram a pensar mal de nossos concidadãos, e alguns foram degradantes. O programa de Jerry Springer, que mostrava alunos de faculdades que, durante as férias, ficavam imobilizados por falta de dinheiro, e que se dispunham a fazer qualquer coisa para obter o dinheiro que ele oferecia, me impressionou por não ser bem uma *reality show* e sim um programa de humilhação. Ninguém se engrandece nessas circunstâncias.

Notas

1. William Clinton, *Giving: How Each of Us Can Change the World* (Nova York: Knopf, 2007). Note como o título se dirige diretamente à noção de as pessoas se fortalecerem para fazer mudanças.

---

* O dr. Paul Farmer é um dos fundadores de *Partners in Health* (Parceiros na Saúde), uma organização de cuidados da saúde fundada em 1987, sem fins lucrativos, baseada em Boston, Massachusetts e dedicada a prover "uma opção preferencial pelos pobres". (N.T.)

Capítulo 9

O Mago

Parece que o Monarca conseguiu dar uma solução a todas as coisas: o romance, o amor duradouro e o afeto às crianças; então, onde entra o Mago? Esse arquétipo muitíssimo elusivo encontra-se, de certo modo, disponível para a observação apenas nos momentos em que a mágica realmente estiver sendo feita, e às vezes nem mesmo nessa ocasião. Melhor ainda é que o Mago pode surgir em quase todos os seis estágios, mesmo se de um modo apenas temporário.

Para sermos plenamente magos, temos de abrir mão de tudo o que está relacionado com a posição social, o ego e o orgulho. Quando fazemos isso, conseguimos falar a nossa verdade sem malícia, sem esperar recompensa pelo que dizemos, e o fazemos porque esse é um ato de amor em si mesmo. A falsidade nunca é amorosa e apenas está presente quando tentamos salvar algum orgulho ou reputação para aliviar nossos egos. O desafio é falar a nossa verdade simplesmente por ser a verdade conforme a sentimos. E a verdade mais importante é aquela que conhecíamos na tenra infância e perdemos, quando começamos a desenvolver a consciência do ego: é a de que somos seres amorosos. Lembremos do bebê. Ele ama; é isso o que ele faz. Podemos racionalizar, dizendo que ele age de maneira instintiva, o que é correto. O bebê conhece *apenas* o amor. Como ele insiste em ser ele mesmo e amar as outras pessoas, vemos que estas começam a sentir um amor intenso por sua vez. As batalhas pela guarda dos filhos têm a ver com muitas coisas, contudo muitas delas estão também relacionadas com o vínculo básico que ambos os pais têm com os filhos.

A tarefa do Mago é reaprender esse amor; essa devoção e confiança direta e pura que o Inocente tem. Anteriormente nós a chamamos de "amor de Deus", porque é tão forte e puro que parece vir de uma dimensão totalmente diferente. A tarefa do Mago é abrir-se e recuperar essa inocência, trazendo-a de volta ao mundo, sem medo. O mundo que temos no presente é dominado pelo princípio do ego e, enquanto tal, ele irá ridicularizar a total falta de envolvimento do Inocente-Mago em relação a essas coisas. O Mago quer trazer mais amor ao mundo, de modo que as pessoas possam trabalhar juntas, em harmonia, com finalidades que nada têm a ver com a riqueza pessoal, e sim com a intendência amorosa de todas as pessoas na Terra. Não há necessidade de ganho pessoal porque, até que todos ganhem, ninguém poderá realmente se sentir como um vencedor. Por exemplo, ganhar qualquer coisa (um emprego melhor, um padrão de vida melhor) ao preço de uma outra pessoa sentir-se perdedora é realmente uma vitória sem sentido. Enriquecer poluindo o planeta não passa de ser um escravo das inseguranças do ego, que dá mais valor ao dinheiro do que ao que é bom e certo. Por outro lado, remover a poluição do planeta é enriquecer todos os que nele habitam, durante um longo tempo no futuro, e isso tem muito pouco a ver com gratificação de um tipo material. O que poderia ser mais amoroso?

Os desafios do Mago: Imparcialidade

A situação do Mago no amor é de progredir para um estado de aceitação num nível novo: o da imparcialidade. É difícil de descrever e, talvez, apenas os poetas tenham sido capazes de o fazer. Leonard Cohen, em especial, merece ser citado, mas não por ter falado exatamente do amor; ele estava falando de poesia, que é a sua maneira de amar o mundo. Entrevistado no filme *I'm Your Man*,[1] disse coisas interessantes acerca de seu mestre zen Roshi, o qual "se importava de um modo profundo, ou antes, não se importava de um modo profundo por quem eu era". A questão salta aos olhos. Não amamos as pessoas por causa do que elas fizeram, ou de sua aparência, ou porque são famosas. Amamos o âmago delas, e isso significa *permitir que elas sejam o que são e, ainda assim, amá-las*.

Em termos de criatividade pessoal, Cohen prossegue dizendo a respeito de sua escrita: "Você abandona a sua obra-prima e então se depara com a verdadeira obra-prima". É um sentimento que ele repete em outra canção de sua autoria: "Você abre mão do controle / e então você encontra / a Obra-Prima". O controle é certamente o desejo do ego (que todos temos) de criar algo maravilhoso, ou alguma coisa especial, quando a questão é que todos nós já temos valor, porque somos todos dignos de respeito. Mas não poderemos chegar a esse conhecimento se não abrirmos mão dessa ânsia de sermos recompensados. Quando abrimos mão do ego, o verdadeiro poder criativo nos leva aonde ele precisa ir. A canção canta e a história conta a si mesma – mas à vezes temos de deixar de interferir em nosso próprio caminho primeiro. Não criamos a Obra-prima; ela já existe, e nós nos abrimos a ela no momento em que nos abrimos a uma consciência da maior de todas as obras-primas: a vida.

Para o Monarca tornar-se Mago, ele deve aceitar que é necessário parar de tentar ter êxito, e apenas quando pararmos de tentar (o bicho-papão do Guerreiro), deixamos a energia do universo, a energia de Deus, operar através de nós. É então que coisas maravilhosas podem acontecer, como reconhece Cohen. O desafio último do Monarca é abrir mão – e tornar-se um Mago. É isso o que Próspero, de Shakespeare, fez em *A Tempestade*. Ele abriu mão do controle e confiou no amor e, de muitas formas, ele é apenas a expressão mais clara dessa tendência, que existe em muitas peças de Shakespeare. Como diz Cohen: "Fica mais fácil quando você para de querer vencer". Quando desistimos dessa ideia de que temos de vencer, ser o melhor e alimentar esse ego frágil, é aí que podemos realmente nos tornar mais plenamente nós mesmos. A vida é, afinal, uma longa derrota; nós envelhecemos, ficamos cansados e nossos joelhos doem. Temos sucesso, mas nunca o suficiente. E caso permaneçamos naquele lugar de inquietude e desejo, certamente ficaremos infelizes. Os outros conseguirão nos amar de modo pleno apenas quando deixarmos de tentar ser vitoriosos, ou melhores, ou certos, e quando fizermos isso nos libertaremos e passaremos a conseguir amar livremente e sermos amados. É uma tarefa árdua para um rei, uma vez que o trabalho requer que o Monarca permaneça no controle, imponha respeito e mantenha o reino bem governado. Se o Monarca permanecer com esses deveres temporais, o que, afinal, é o que se espera que ele faça, pode ser muito difícil fazer a plena transição para o nível do Mago.

Talvez o modo mais direto de descrever isso é que o Monarca sente que deve funcionar como um ser humano eficaz; portanto, considera a si mesmo um ser humano que caminha em direção a uma experiência espiritual. O Mago sabe que é um ser espiritual que está tendo uma experiência humana.

Consideremos isso por um momento. Pensemos em como nossas atitudes mudariam se tentássemos viver dessa maneira. Enquanto seres humanos, amamos uns aos outros e também temos consciência de que somos todos frágeis, que vamos envelhecer e morrer, e que o amor é ameaçado pela devastação do tempo. Eis um exemplo que pode ajudar. Uma de minhas alunas descreveu a felicidade que sentiu com seu marido quando eles passaram para o final de seus 70 anos: "É tão maravilhoso. Nós sentamos de mãos dadas e não acreditamos em como isso é bom, e ao mesmo tempo ficamos tristes por ter demorado tanto para chegar a isso. Porque não temos muitos anos mais à nossa frente". Esse é um exemplo pungente de uma experiência humana que se aproxima do espiritual. Não obstante, tudo isso será alterado se pensarmos em nós mesmos como seres espirituais que receberam a dádiva de uma experiência humana. As emoções que sentimos nessa experiência humana, então, se tornam nossos instrutores, contando-nos sobre as verdades maiores, que seguirão existindo quando as limitações humanas forem removidas. Quando dirigimos nossa atenção à qualidade do amor partilhado por essas duas pessoas idosas, naquele momento, em vez de pensar em como é triste que eles tenham se encontrado tão tarde na vida, podemos ficar profundamente alegres, inspirados, porque o amor que eles sentiram emergiu para nos mostrar sua maravilhosa riqueza. Quando fazemos isso esquecemos todos os anos à procura do amor, porque testemunhamos o amor atingido em toda a sua plenitude.

Isso nos reporta às parábolas de Jesus. Ele descreveu o reino dos céus como sendo um homem que contrata os trabalhadores para seu vinhedo durante o decorrer de um longo dia e no fim paga o valor de uma diária.[2] Em termos humanos, isso é errado. Os funcionários do sindicato iriam cair em cima disso. Em termos divinos, se a recompensa é o céu, não importa a duração, longa ou curta, do aprendizado, pois a própria recompensa é muito mais importante do que o tempo que levou para merecê-la. Se eu comprar apenas um bilhete de loteria e ganhar o maior prêmio, ficarei encantado. Se eu comprar três bilhetes por semana durante cinco anos e só então vencer, seria idiota de minha parte me queixar de todos os bilhetes não vencedores anteriores. Se eu passar dez anos tendo namoros frustrados antes de encontrar o amor de minha vida, seria tolice repreender a minha amada por ter me feito perder tanto tempo. Eu me sentiria muito melhor apreciando o amor que acabou de chegar. O Mago se concentra no que é importante e abre mão dos erros. O Mago sempre se concentra no que é bom.

Pontos a considerar

Se o Mago parece um pouco intimidador, vale a pena esclarecer que o arquétipo é apenas uma *imagem* do que podemos aspirar em termos de nossa família, amigos e as pessoas próximas a nós. Poucos de nós somos capazes de estar plenamente presentes o tempo todo, de um modo aberto, dispostos a aceitar, sem julgar e, ainda assim, intensamente conscientes de quem essa pessoa *é*, embora eu suponha que alguns religiosos, santos e muito poucos terapeutas podem conseguir essa consciência. Na verdade, o terapeuta tem um trabalho mais fácil, já que um cliente raramente chega à sessão acompanhado de mais do que uma outra pessoa, a menos que estejamos considerando a família ou terapia de grupo. Assim, podemos ver que as comparações com a família que temos feito o tempo todo de nenhuma maneira diminuem as exigências sobre o indivíduo que passa pelos seis estágios de desenvolvimento; na verdade, esta parece representar a versão disponível mais exigente.

Se quisermos compreender o que o Mago faz, deveremos tentar imaginar como seria encontrar uma pessoa dessas. Ram Dass,[3] ao descrever seu primeiro encontro com seu guru Maharaji, parece resumir o modo de funcionar de um Mago com alguma concisão. Quando ele conheceu o guru, Maharaji disse-lhe o que ele, Ram Dass, havia pensado na noite anterior, na verdade leu a sua mente. Vale a pena citar a reação de Ram Dass:

> Eu senti uma dor extremamente violenta em meu peito e um tremendo sentimento de tristeza e comecei a chorar. E chorei e chorei e chorei. E eu não estava feliz nem estava triste. Não era esse tipo de choro. A única coisa que pude dizer era que parecia que eu estava em casa. Como se a Jornada tivesse terminado. Como algo que eu havia terminado.

Quando encontramos o Mago, a mágica aparece dentro de nós e nem sempre é confortável. O que Ram Dass parece estar descrevendo é o momento de alívio que sentimos quando todos nossos anseios são reconhecidos por outrem e são validados. Nosso eu mais íntimo foi visto e aceito; percebemos que somos, na verdade, criaturas divinas, ligadas por meio do espírito, de uma maneira que não havíamos reconhecido antes. É um modo de ser totalmente diferente, em completo contraste com qualquer outra definição de amor.

Ram Dass, mais uma vez, tentando descrever como Maharaji fazia a sua mágica, diz o que o surpreendeu: o guru não planejava, ou tramava algo, ou convocava comitês.

> Ele caminhará até um local e lá haverá um santo que terá vivido nesse local, ou caverna, e ele dirá: "Haverá um templo aqui", e então eles constroem um templo. E eles fazem tudo isso em torno de Maharaji. Este parece não fazer nada.

O Mago parece não fazer nada e, contudo, atinge tudo. O *Tao Te Ching*[4] expressa isso assim:

> Quando o Mestre governa, as pessoas
> mal se dão conta de que ele existe.

E novamente:

> O Mestre não fala, ele age.
> Quando seu trabalho está feito

> As pessoas dizem: "Incrível:
> Nós mesmos fizemos tudo isso!"

Certamente o melhor governante é aquele que é capaz de motivar os outros a serem as melhores pessoas que puderem ser. E nesse sentido elas governam a si mesmas.

Desse modo, o Mago tem que entrar em contato com o poder real do amor, do perdão e da aceitação que vimos primeiro no Inocente. Nós já percebemos que o Inocente volta para realimentar o Guerreiro-Amante, conforme o Guerreiro aprende a confiar e amar uma outra pessoa de maneira implícita. Esse é o primeiro passo. No nível do Monarca, esse senso de confiança é estendido de modo que abrange a maioria das pessoas que faz o reino funcionar. Um Monarca deve reter uma certa desconfiança prudente, no entanto, ou se arriscará a enfrentar problemas com súditos rebeldes ou gananciosos. Para o Mago, a tarefa é ainda muito maior. O Mago deve ter fé total na bondade divina de todos os aspectos da criação, e deve amar a todos, confiando que até mesmo os aspectos de maldade do mundo serão finalmente transformados em bondade. Isso parece impossível e irrealista, embora baste olhar para o que Jesus passou para reconhecer que talvez seja impossível para a maioria de nós compreender de modo pleno. Mas isso não deveria, de maneira nenhuma, fazer com que paremos de tentar.

No quarto

Em certo sentido é quase desnecessário considerar o Mago no quarto, uma vez que o poder do amor ao qual esse arquétipo se conecta vai além do meramente sexual. O foco do Mago é no espiritual, não no físico, assim se poderia dizer que quando essa figura é sexual ela é um Monarca e não um Mago, uma vez que o sexo está firmemente localizado no mundo físico. A confusão que se segue é inevitável, uma vez que poucos de nós podem estar de forma permanente no nível do Mago; contudo, esperamos que nossas figuras de Mago estejam além do sexo. Espera-se que os padres católicos sejam celibatários, mas, como todos nós sabemos, muitos não são. Do mesmo modo, alguns dos recentes gurus indianos foram expostos como predadores sexuais e Osho salta aos olhos como um alvo dessas acusações. O que talvez deveria nos surpreender é o choque com que o público em geral reagiu. Parece que queremos nossos Magos de um modo permanente no nível do Mago, e isso pode não ser possível. É evidente que não há desculpas para a exploração sexual; contudo, podemos entender esses comportamentos como exemplos de como é inevitável que o Mago necessite retornar a um nível menos elevado de existência por grandes períodos de tempo.

Quando o Mago estiver agindo como Mago plenamente, a prática sexual dá lugar a uma presença realmente amorosa – e isso vai muito além do sexo.

Compreendendo a energia do arquétipo

A experiência do Mago está à pronta disposição de todos nós, mas é preciso ter em mente que ela existe apenas em breves espaços de tempo, para a maioria de nós. Você consegue lembrar de uma ocasião em que falou e as palavras pareciam vir por si mesmas? Como sentiu isso? Não estou falando dos momentos, comuns a todos nós, em que deixamos escapar a coisa errada, ou em que estávamos zangados e magoados. Falo de momentos em que dissemos ou fizemos exatamente a coisa certa, mesmo que só percebêssemos isso num momento posterior. Um homem se lembrou de como ele, de repente, sentiu que precisava agarrar uma criança sentada ao seu lado, num carro, exatamente alguns momentos antes de a porta se abrir de repente, de maneira inexplicável. Ficou tão surpreso quanto qualquer outra pessoa, mas a vida da criança foi salva. Quando eu trabalhava com crianças com distúrbios mentais, meu diretor, Peter Riach, descreveu que uma vez ele se encontrava perto de dois jovens que conversavam e, de repente, ele sentiu que deveria dar um passo e ficar entre os dois. Ele não tinha motivos para fazer isso, mas deu um passo adiante. No mesmo segundo, ele conseguiu segurar um dos jovens que havia investido contra o outro, e o teria esfaqueado. Como era um homem modesto, Peter não tentou alegar que havia previsto o ocorrido. Ele sabia que tivera a sorte de ter ouvido as sugestões interiores do seu ser total, e que isso era um exemplo do Mago em funcionamento.

Um exemplo diferente são aqueles momentos em que paramos de tentar e deixamos as coisas tomarem seu curso. Isso já aconteceu com você? A frase: "Deixe ir e deixe Deus"* vem à mente, e às vezes realmente é como se Deus estivesse esperando que parássemos de tentar controlar as coisas. Russell Baker[5] relembra em sua autobiografia que ele sentia pavor de seu instrutor de voo; então, no dia de seu exame final, estava com uma ressaca tão horrível que nem ligava mais se estava voando bem ou não. Entrou no avião e o pilotou e teve um desempenho quase perfeito. Naquele dia, de fato, ele deixou de interferir em seu próprio caminho. Você já teve alguma experiência assim? Em caso positivo, lembre dela com carinho, porque é possível que esse fosse o Mago emergindo.

Um professor amigo meu relata como ele tentava passar sua matéria em aula e os alunos resistiam o tempo todo. Então, um dia nem levou seus livros. Perguntou à

---

* Em inglês, "Let go, let God". (N.T.)

classe o que estava acontecendo, como eles se sentiam a respeito das coisas. Isso foi feito de uma maneira amorosa, quase como um Inocente, esperando que os alunos reagissem de modo bastante negativo; em vez disso, eles responderam à abertura do professor, falando refletidamente. Explicaram com detalhes seus sentimentos, enquanto ele ouvia, aprendia e os via de uma nova maneira. A classe mudou daquele dia em diante. Ainda havia problemas ocasionais, mas agora todos sabiam como resolvê-los conforme surgiam, e os alunos lidavam com as resistências e dificuldades por si mesmos. Ao recontar a história, o homem tinha lágrimas nos olhos e sabia que realmente amava "aquele bando de palhaços", conforme os chamava. Aprendeu acerca do modo correto de "deixar levar" sem ser o caso de desistir. Esse é o Mago em ação. E, às vezes, o Mago só pode emergir quando tentamos de tudo (aí está aquele "tentar" novamente) e sentimos que não temos mais nada a perder.

Como acontece com todos os estágios, devemos nos lembrar de entrar em contato com eles, e fazer isso com regularidade, porque esquecemos. O processo nunca pode ser cerebral. Não basta dizer que já fizemos isso uma vez, porque, assim como qualquer atividade física, precisamos praticar. Temos de retomar contato com as emoções sentidas *naquele momento* e, de fato, senti-las novamente. Essa é a maneira de conhecer a energia do arquétipo e convidá-la a entrar mais em nossas vidas. Talvez seja apenas quando nós a evocamos que conseguimos ver que não se trata de atingir o nível do arquétipo por algum esforço próprio. Trata-se de o arquétipo ser capaz de trabalhar por intermédio de nós, conforme acessamos nossa sabedoria profunda. Quando permitimos que isso aconteça, é sempre uma ação amorosa. É somente ao tentar algum resultado desejado que existe a pressuposição de saber o que é "melhor", e é aí que erramos o alvo. É no estágio do Mago que podemos entender a energia do amor, respeitando-a e dando-lhe espaço para operar. O que descobrimos, é claro, é que o arquétipo do Mago é constituído daquilo que é melhor em todos os prévios cinco estágios.

O Mago no Tarô:
A conclusão do ciclo dos Arcanos Maiores

O Mago no baralho do Tarô é a carta mais elevada de todas. Ela mostra o Mago desempenhando algum tipo de rito religioso, ao passo que na sua frente (parece ser uma figura masculina) estão os quatro símbolos do restante do baralho: pentagramas, espadas, cajados e cálices. Ele está realmente naquele momento fazendo mágica, ou melhor, está permitindo que a mágica aconteça, ao se conectar com a energia do Universo e permitir que ela flua através dele. Ele venera tanto essa energia que suprimiu seu ego e todos os desejos egoístas de ser melhor do que os outros e, em vez disso, tornou-se o servo bem disposto da energia criativa básica, que é, em si mesma, amor. Acima de sua cabeça está o sinal do infinito, em vez de um halo. Isso marca este estágio como o mais poderoso e abrangente de todos; uma mão segura um bastão nas alturas e a outra aponta para baixo, enquanto ele une os reinos superior e inferior. A figura é de um homem jovem, e não um feiticeiro com barba grisalha, simbolizando o poder eternamente reanimador da conexão com o divino. Rosas vermelhas (símbolos da paixão) e lírios brancos (símbolos da pureza) estão amontoados à sua frente mostrando os aspectos duplos do amor, sexual e platônico, sem favorecer um em relação ao outro.

Os símbolos espalhados à sua frente na mesa são lembretes igualmente importantes do papel do Mago. Uma vez que o pentágono é o sinal do planeta Vênus, podemos considerá-lo um símbolo do princípio feminino. As espadas são, igualmente, símbolos do masculino e do falo – lá estão Marte e Vênus novamente – e ambos esses símbolos se repetem nas taças e bastões. O pentágono e a espada são os tipos de símbolos que se poderiam chamar de elevados (espadas existiam em famílias prósperas e o pentágono era uma abstração) enquanto taças e bastões eram outrora comuns, mesmo nas casas mais pobres. Então se pode considerar que o Mago reúne todo tipo de símbolos, masculinos e femininos, tanto dos níveis sociais altos como dos baixos, o que é uma bela maneira de aludir à conclusão do equilíbrio que deve ser atingido com o Guerreiro-Amante e o Monarca, e que deve ser mantido pelo Mago.

Se isso tudo não parece muito consistente, salientaria que para a maioria de nós as imagens visuais permanecem na mente muito mais tempo que as descrições ou análises escritas. O rico conjunto de imagens do Tarô é absolutamente memorável e parece abranger todos os pontos que estamos considerando. Portanto, podemos utilizar as cartas como lembretes. Quando esquecermos, por algum tempo, o que devemos fazer na vida, é possível refrescar nossa memória com imagens que têm um caráter mais evocativo do que diagnóstico. O poder da imagem sempre foi honrado em instruções religiosas de todo tipo exatamente por esse motivo, desde os magníficos vitrais das catedrais medievais até as esculturas no templo em Khajuraho, na Índia.

A sequência completa dos Arcanos Maiores

A sequência completa das cartas do Tarô pode ser vista, então, como um diagrama pictórico de alguns dos marcos indicadores de desenvolvimento que podemos esperar encontrar, conforme progredimos através dos seis estágios. Assim, podemos concluir que o Tarô pode ter, entre seus muitos usos, o papel de ajudar as pessoas a enxergar suas trajetórias de vida e talvez ele também possa servir de orientação.

Usando o Tarô Waite, podemos fazer sequências das cartas dos Arcanos Maiores em sua ordem numérica. Conforme já mencionamos, veremos que parecem existir cartas que têm pares e algumas que estão avulsas. Eis como podemos arranjá-las em ordem numérica, com as linhas separando os diferentes arquétipos.

Quem conhece o Tarô já terá notado que, de todos os baralhos disponíveis, tratamos apenas do Tarô Waite. Esse baralho é considerado por muitos como o Tarô clássico autorizado e certamente era tido em alta conta por Joseph Campbell. Ao falar com seus amigos de longa data, os entrevistadores Michael e Justine Toms da New Dimensions Media, ele insistia em dizer que esse era o único baralho confiável, e que todos os outros derivavam dele ou eram meramente decorativos. Campbell tinha clara consciência de que as imagens nas cartas não eram aleatórias, mas versões específicas, ainda que estilizadas, de importantes informações psíquicas. Esse é um motivo convincente para enfocar, em primeiro lugar, as imagens desse baralho, embora, é claro, isso não exclua as outras versões.

O Mago

O Par de Monarcas

III	II	IV
A IMPERATRIZ	A SACERDOTISA	O IMPERADOR

V
O HIEROFANTE

O Guerreiro-Amante

VII	VI	VIII
O CARRO	OS ENAMORADOS	A FORÇA

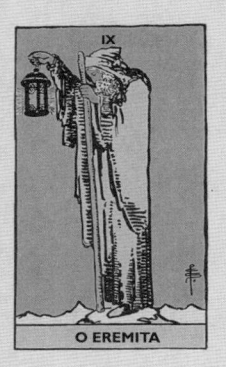

O Peregrino

O EREMITA

A RODA DA FORTUNA

A JUSTIÇA

O ENFORCADO

A MORTE

A TEMPERANÇA

O DIABO

O Órfão

XVI	XVII	XVIII
A TORRE	A ESTRELA	A LUA

O Inocente

XX — O JULGAMENTO

XIX — O SOL

XXI — O MUNDO

0 — O LOUCO

Correndo o risco de excessiva simplificação, é possível ver que existe um padrão aqui que pode ser útil. Será necessário repetir algumas informações dos capítulos anteriores, mas apenas pela clareza. Iniciando com a divisão inferior, se considerarmos O Sol como equivalente do Inocente em sua expressão mais forte, podemos ver O Louco como a versão do Inocente que perdeu o seu caminho, vagando desamparado pelo mundo. Segundo um antigo provérbio, os loucos e as crianças falam a verdade. Essa ligação existe na língua inglesa, em que, como mostra Shakespeare, a palavra *fool*[6] [tolo, louco] pode ser empregada em referência a uma criança. Essas duas cartas são os aspectos equilibrado e desequilibrado do Inocente, e o que as separa é a noção da natureza deste mundo (O Mundo) e uma consciência do próximo mundo (o Julgamento Final). É como se o Inocente tivesse chegado a um lugar de entendimento no qual os caminhos do mundo físico são honrados no aqui e agora, e também o senso de eternidade que instrui a criança de que ela possui uma alma. O Louco, ou o incompetente mental, não consegue discriminar dessa maneira. Assim, temos os dois aspectos desse estágio à nossa frente, juntamente com as lições que devem ser aprendidas. A colocação do Louco na parte inferior do baralho é deliberada, também: dessa maneira ele está situado do lado oposto do Mago. No entanto, todos sabemos que o significado da carta O Louco também deve ser o daquele que faz profecias, porque ele não está totalmente neste mundo e tem ligações com o outro mundo invisível. A qualidade de abertura e a de inocência são precisamente aquelas que permitem que isso aconteça.

Quando alcançamos A Torre, A Estrela e A Lua, percebemos um tema de ausência de lar em cada uma delas, e se poderia dizer que o arquétipo do Órfão é representado em dois aspectos, bem como o aspecto principal e equilibrado. A confiança do Órfão na Torre leva a uma violenta derrocada, sugerindo a morte espiritual e o desapontamento catastrófico definitivo daqueles que confiam apenas na riqueza. A carta A Lua sugere uma sensação pesarosa de estar exilado e ser incapaz de encontrar um lar, ou assumir um caminho espiritual. Não há nada, afinal, tão desamparado como um cão perdido. Como um símbolo que reflete a tendência do Órfão de se apegar muito rapidamente a qualquer lar ou líder disponível, ele é pungente. Entre essas duas cartas, está a figura enigmática chamada A Estrela, com dois jarros de água, despejando um deles na poça e o outro na terra seca. As estrelas são mais confiáveis como guias de navegação do que o Sol ou a Lua, mas elas também se deslocam pelo céu. É interessante notar que a carta tem sete estrelas e uma estrela principal, brilhante. Seriam essas as sete estrelas da *Ursa Maior* (a constelação facilmente identificável que indica a Estrela Polar), o único guia confiável que não se altera? Infelizmente, a figura nesta carta não está olhando para a estrela, mas para a água, talvez até mesmo do mesmo modo que Narciso, concentrada nessa atividade estranha de despejar água na água com uma mão e despejar água no solo com a outra mão. Talvez a sugestão seja de uma atividade agradável, mas desperdiçada, sem direção. A figura parece contente, se comparada ao cachorro e ao lobo na carta A Lua, e o rei e a rainha caindo na carta A Torre. Contudo, é curioso que a figura parece envolvida consigo mesma e ineficiente, uma versão do Órfão, alegre em sua rotina, exatamente o tipo de coisa que pode seduzir a qualquer um.

Acima dessas cartas, encontram-se A Morte, A Temperança e O Diabo. Podemos considerá-las como lições que estão à espera daqueles que decidem sair da fase do Órfão. Ou talvez, como o tipo de enfrentamentos que podem nos forçar a sair do contentamento dessa fase, já que também são lições que, se não forem aprendidas, nos manterão no mesmo lugar. Percebamos que O Diabo tem um homem e uma mulher, nus, acorrentados à sua frente. O Órfão pode sempre se esconder numa relação codependente, sem ter de aprender, desse modo, as lições da carta da Temperança, que é o equilíbrio em todas as coisas. Além disso, é o medo da morte e da mudança que a carta A Morte simboliza, que nos impede de usar nossa inteligência. O Órfão pode desejar "viver depois da morte" passando o negócio da família a um filho preferido, ou pode se empenhar para criar a "obra de toda uma vida", que talvez não signifique nada para mais ninguém. Essas são tentações importantes que precisam ser compreendidas, assimiladas e equilibradas pela Temperança. Perceba que A Temperança tem um pé na água e um pé no chão, e está despejando água de uma jarra para outra. Nisso, ela se parece com a figura feminina de A Estrela, que também tem um pé na terra e outro na água, agindo de modo muito semelhante. É como se a figura ajoelhada em A Estrela fosse, agora, a figura em pé e alada de A Temperança.

É interessante, e é também verdade, que os encontros com a morte e com infortúnios pessoais, que podem ser comunicados aqui pela figura do Diabo, podem ser a dica que todos nós precisamos nos forçar a sair do conforto da fase do Órfão. Os atritos com a morte e com os reveses da fortuna levam as pessoas, de alguma maneira, a se fazer perguntas importantes sobre o significado da vida e de sua visão do futuro. Às vezes, esta não passa de uma fase passageira; outras vezes, ela assinala uma mudança profunda de consciência que envia o indivíduo ao caminho do Peregrino. Quando os reveses acontecem conosco, podemos aprender as lições e seguir adiante, ou ficar escravizados pelo passado e chafurdar no papel de vítima. Talvez a carta O Diabo, com a mulher e o homem acorrentados, esteja aí para nos fazer lembrar dessa servidão imposta a nós mesmos.

Acima dessas três cartas há uma outra tríade: A Roda da Fortuna, A Justiça e O Enforcado. Essas cartas também representam lições que precisam ser enfrentadas, conforme o indivíduo faz a jornada espiritual em direção ao amor. No entanto, essas são lições que devem ser reencontradas em cada estágio, do mesmo modo que as lições de A Morte, A Temperança e O Diabo tornarão a aparecer, de maneira inesperada, para o Peregrino, o Guerreiro-Amante e o Monarca. Entretanto, as cartas parecem esboçar as tarefas à frente, em vez de especificar de maneira precisa quando elas irão aparecer. Como sabemos, não lidamos com questões de morte e justiça apenas uma vez na vida; elas sempre retornam, de formas cada vez mais complexas; e cada vez aprendemos novas lições em um nível mais profundo. Assim, vemos que a lição, que aqui revolve em torno da figura da Justiça, parece ter relação com o Destino. A Roda da Fortuna pode fazer uma pessoa subir rapidamente e também cair da mesma maneira, o que, talvez, seja o aviso do Enforcado. Suspenso de cabeça para baixo, talvez morto, a sua dependência da sorte não lhe serviu bem. Entre essas duas cartas está a Justiça – mas que tipo de Justiça? É simplesmente a lei? Ou é algo mais transcendente? E essa é a questão: a nossa fé se dirige à justiça terrena (como fazem os Órfãos, que têm inclinação para a vingança), ou vamos procurar a verdadeira natureza da justiça em seus aspectos compassivos? E como iremos reagir quando nossa sorte falhar, algo que as outras duas cartas parecem indicar? Parece que todos nós sentimos, em certos momentos, que fomos desertados pela boa sorte.

O Eremita também deve tratar dessas questões. Perceba como ele olha para baixo aparentemente mais interessado nos próprios pensamentos do que no caminho à frente. A busca do Peregrino exige que essas questões sejam pesadas (veja que a balança está na mão esquerda da figura da Justiça). O Guerreiro-Amante e o Monarca, obviamente, irão enfrentar as mesmas lições, mas poderíamos dizer que pensar acerca delas deve começar aqui.

Acima do Eremita está a carta chamada de A Força. Este é um modo de descrever os atributos que podem e devem emergir no Peregrino, e que farão que ele se torne um Guerreiro-Amante. A mulher na carta está domando um leão e assim ela representa a ascendência da compaixão, inteligência e amor sobre o mero poder. Mais uma vez, a carta ressalta um equilíbrio entre os aspectos de inteligência e poder, não apenas a supressão de um deles. A Força, portanto, poderia ser interpretada como coragem, determinação, apego, amor... muitos dos valores que o Guerreiro-Amante procura encarnar. Quando olhamos para o soldado vitorioso no Carro, ele está, em termos numéricos, bem ao lado da carta Os Enamorados. Notemos que Os Enamorados é a carta mais alta, e isso parece indicar o papel que o amor terá desse ponto em diante. Ele será mais forte que a mera força e irá, portanto, equilibrar seus excessos.

Como já comentei a série seguinte de cartas (no Capítulo 8), não preciso repetir toda a informação aqui. Apenas observarei que o Hierofante é do sexo masculino, um símbolo do casamento terreno, ao passo que acima dele está a figura feminina da Sacerdotisa, que sugere o valor mais elevado da comunhão espiritual. Entre eles estão a Imperatriz e o Imperador. Como todos os governantes temporais, as exigências do ato diário de governar podem, por um certo tempo, cegá-los para o aspecto espiritual do que poderia ser a sua vida. A figura feminina amorosa da Sacerdotisa é a sua mestra e a sua lição. Isso parece sugerir que devemos nos comportar como se tudo o que fizéssemos importasse, não apenas hoje e com aqueles que estão à nossa volta, mas sempre e na frente de todos. Nossas ações diárias passam a adquirir um caráter sagrado. Isso deve ser muito mais difícil para o Monarca! Não pode haver atalhos, a Sacerdotisa parece nos lembrar, e não devemos mais cultivar pensamentos como: "Ah, só uma vez não vai ter problema". Não podemos mais fazer as coisas esperando que ninguém perceba nossa negligência. Nossas ações precisam ser deliberadas, refletidas e feitas com um sentido de santidade e reverência. O governante deve ser capaz de dizer algo e pretender isso de verdade, ou a palavra dele não será respeitada. Espera-se que uma lei não seja apenas aprovada devido a alguma necessidade do momento, mas para o futuro benefício de todos.

Em um nível mais elevado, o sentido do sagrado deveria incluir o respeito por todos os cidadãos e pela própria Terra. Como isso funcionaria? É possível imaginar fábricas projetadas especialmente para não poluir? Ou locais de trabalho organizados de modo que as necessidades dos trabalhadores se anteponham à rentabilidade? Sempre fico surpreso, quando menciono essas possibilidades, com o número de pessoas ansiosas para dizer: "Impossível! Não dá para isso acontecer!". E *é* absolutamente impossível para aqueles que têm essa atitude mental; mas isso não significa que não possa ser feito. Qualquer sociedade que pode enviar sondas espaciais para Marte e Júpiter poderia causar uma diminuição de problemas domésticos, se assim desejasse. Qualquer sociedade que realmente amasse os seus cidadãos tentaria. A Sacerdotisa é um lembrete das exigências espirituais e humanitárias do governo.

O Mago é a carta mais alta e o Louco é a carta sem nenhum número, a partir da qual os baralhos convencionais desenvolvem o Coringa. Às vezes, o Mago pode parecer como um Louco, porque, ao que tudo indica, ele é um visionário incapaz de lidar com coisas práticas. Se olharmos de maneira demorada para as cartas, veremos que o Louco é descuidado, caminhando em direção a um precipício, enquanto caminha nas montanhas. O mesmo contraste de alto e baixo está presente no Mago, exceto por estar nos gestos das mãos, apontando para cima e para baixo, incluindo toda a criação. As imagens sugerem que, mesmo que o Louco tenha valores para nos mostrar, é apenas no estágio do Mago que essas percepções oscilantes podem ser disciplinadas para virem a ser úteis. Da mesma maneira, o amor do Inocente tem de ser plenamente reivindicado pelo Mago – e usado de uma maneira que seja produtiva para todos.

As origens do Tarô são distantes e nebulosas. O que desejo mostrar é que ele tem correspondências notáveis com os seis estágios arquetípicos que estamos examinando. Parece provável que tanto o Tarô como os seis arquétipos sejam derivados de uma fonte comum, o profundo reservatório inconsciente da psique, e é por isso que eles ecoam através dos séculos na literatura e folclore, conforme demonstrei em *Stories We Need to Know*. É provável que o Tarô tenha chegado perto de seu formato atual por volta do ano 1200, quando a literatura começou a ser escrita na Europa, conforme a tradição oral dava lugar a uma tradição mais literária. Podemos dizer que ambas as formas obtiveram uma existência física mais ou menos na mesma época, embora o que foi escrito, em cada caso, certamente já existia havia muito. A vantagem do Tarô é que, visto sob essa luz, suas imagens visuais trabalham na imaginação da mesma maneira que os personagens e acontecimentos da literatura e histórias permanecem memoráveis para nós. É difícil esquecer algumas dessas figuras, e algumas dessas histórias. Em um mundo que era altamente pré-alfabetizado, o poder das imagens e das histórias era de fato impressionante, de um modo que talvez seja impossível de retomar atualmente. No entanto, ainda podemos aprender com elas.

Notas

1. Leonard Cohen, *I'm Your Man*, dirigido por Lian Lunson, 2006.
2. A parábola dos homens contratados para o vinhedo está em Mateus 20:1-16.
3. Ram Dass, *Be Here Now* (Novo México: Lama Foundation, 1971). Não há números de páginas nesse livro.
4. *Tao Te Ching*, trad. Steven Mitchell (Nova York: HarperPerennial, 1988), seção 17.
5. Russell Baker, *Growing Up* (Nova York: Signet, 1992).
6. Quando o rei Lear diz, na última cena da peça, "e minha pobre tola está enforcada" (5.iii.305), os críticos se dividem quanto a saber se ele fala sobre seu bobo da corte ou sua filha Ofélia. Uma vez que ele há muito não mencionava o bobo da corte, e acabava de entrar carregando o corpo de Ofélia, é mais provável que estivesse se referindo a ela.

Capítulo 10

Coragem e Amor

Está claro que a atitude do Mago requer um certo tipo de coragem e fé constantes nas qualidades decentes das outras pessoas. Esse é um tipo muito diferente de coragem, se comparada à certeza de caráter pessoal do Guerreiro-Amante, que procura uma tarefa específica. Podemos ver, portanto, que um dos atributos que se desenvolveram através dos seis estágios é o que viemos a chamar de coragem, por falta de um termo melhor. A coragem, conforme vimos com o Guerreiro-Amante, é a qualidade de ser capaz de declarar os próprios valores e aderir a eles mesmo quando questionado. Nessa condição, a coragem requer que enfrentemos os nossos medos e avancemos em meio a eles, de alguma maneira. Vamos examinar isso mais detidamente.

A coragem deve começar em algum ponto. A sensação de confiança do Inocente em um mundo amoroso é o que permite à criança explorar sem sentir medo. É sempre o amor que permite a uma criança ser confiante e, dessa maneira, desenvolver seu senso de coragem. Sem esse amor inicial, esta não poderia existir. A criança amedrontada não sairá dos braços de sua mãe, e todo pai (mãe) sabe como é importante e como pode ser irritante estimular o senso infantil de curiosidade saudável. O Órfão, pelo contrário, sente uma falta de amor num mundo perigoso, e decide viver a vida de maneira cautelosa, de modo que a coragem pessoal está contida na noção das coisas que são aceitáveis. Contudo, o explorador confiante, outrora o Inocente bem ajustado, pode reemergir no desejo do Peregrino de encontrar um significado no qual ele possa acreditar. A coragem parece crescer novamente, depois de ter estado oculta por algum tempo.

Isso é importante. A bravura que está baseada em ignorância ou estupidez apenas causa problemas. A palavra "temerário"* resume muito bem isso. A coragem

---

* Em inglês, o termo *foolhardy* denota um desrespeito desafiador pelo perigo ou pelas consequências. (N.T.)

verdadeira tem de ser aprendida conforme enfrentamos o perigo e concordamos em lutar para superá-lo. Isso demanda um esforço de vontade.

Quando o Guerreiro encontra a parceira de sua vida ou a causa de sua vida (e assim se torna um pleno Guerreiro-Amante), geralmente existe um senso de *decisão* de se comprometer com a causa ou com a outra pessoa, mesmo que isso não estivesse nos planos, mesmo se não for conveniente. "Nunca pareceu ser uma opção", disse uma mulher. "Eu sabia...", disse uma outra; um homem descreveu como "Eu sabia que tinha de me casar com ela... eu tinha de fazer isso". Os arquétipos anteriores, em comparação, resistem ao amor até que este se adapte aos seus outros planos. O Guerreiro-Amante se afasta das crenças dos outros e afirma a crença em si mesmo e a fé no próprio amor. Portanto, é apenas no amor que o Guerreiro assume sua plena coragem. Essa coragem se baseia na aceitação do risco, na liberdade de cometer erros, de falhar e de fazer isso enquanto se aposta alto.

Para entender tudo isso, vale a pena dar uma outra olhada na maneira como o Órfão tende a funcionar. O Órfão, tímido para afirmar seu próprio eu, tem mais fé nos padrões aceitos pelos outros e tem a tendência de responder de modo favorável a ostentações externas julgadas atraentes pelos outros, às vezes à custa da sensação interna de deleite, que é um componente tão vital do relacionamento com o amante. O Órfão estará inclinado a pensar em termos da *Cosmopolitan** e outras revistas parecidas: se eu for realmente bom de cama, esse amante permanecerá. Assim, os manuais de "como fazer" vão estar em evidência e, às vezes, os Órfãos sentirão a necessidade de praticar com parceiros "fáceis" disponíveis, por sua necessidade de um lugar seguro ou sem complicação, para fazer a pequena quantidade de exploração que conseguem se permitir. Os Órfãos estão temerosos demais para fazer qualquer exploração real do sexo e da sexualidade; o que dizer, então, do amor. A *lingerie Victoria's Secret* e vídeos picantes leves podem ser o máximo com que conseguem lidar com seu parceiro, embora os casos extraconjugais estarão evidentes também. Pense nisso por um segundo. A atração de um caso amoroso é que a pessoa pode ter sexo, sentir-se relativamente satisfeita, e fazer isso sem ter de se aproximar realmente do outro, uma vez que este já é casado. Os casos amorosos, portanto, conferem um véu de irrealidade para ambos os relacionamentos, uma vez que não se está realmente envolvido em nenhum. O romance de férias, a aventura, o amante tapa-buraco, todas essas são maneiras de não se permitir a intimidade real com uma outra pessoa.

A desvantagem disso é que uma aventura geralmente representa uma recusa de resolver uma situação existente entre os parceiros originais. O que um indivíduo que

---

* O equivalente a nossa revista *Nova* (N.T.)

tem um caso amoroso está sinalizando é que ele (ou ela) não tem os recursos para lidar plenamente com a situação preexistente e não tem a coragem de admitir isso. O amor definha por causa de uma falta de coragem, pois as dificuldades dentro dos relacionamentos são sempre oportunidades de maior compreensão e crescimento. As dificuldades podem acabar se revelando grandes demais para a relação, mas isso importa menos do que as duas pessoas continuarem a suprir amor e apoio uma à outra durante um tempo de incertezas. Afastar-se de uma situação não permite que nada mude para melhor; afinal, se a pessoa se afasta, como pode realmente avaliar o que aconteceu? Afastar-se é a negação de que existe alguma coisa para entender e processar. Isso nos permite sentir que não fizemos nada de errado. Assim, é uma maneira de não usar a coragem necessária para olhar para uma situação de vida com honestidade. E assim o casal se separa e o amor se perde, quando poderia ter crescido. Os Órfãos tendem a fazer isso. Eles não estão realmente interessados em muito crescimento; eles estão interessados em conforto e adaptação. Por trás disso está um fracasso da coragem, e sem coragem real que chance tem o amor?

Os Peregrinos, por outro lado, podem procurar parceiros sexuais mais velhos, mais experientes, que parecem até ser problemas arriscados. O Peregrino precisa de um professor, um guru, mesmo que o papel de qualquer professor seja o de se tornar obsoleto no fim. Podemos ver isso quando uma mulher mais jovem se casa com um homem mais velho, descobre seu caminho no mundo e depois decide que precisa partir. O homem pode ter pensado que sua idade, sua posição social e até mesmo a sua riqueza conseguissem "domar" a mulher. Ele queria um Órfão; o que ele realmente obteve foi um Peregrino, e quando um Peregrino emocional encontra a sua coragem, ele não se contenta com a segunda opção. Ele pode permanecer no casamento, mas afastar a sua energia do cônjuge, direcionando-a para qualquer número de outras coisas: ativismo político, crianças, o seu próprio negócio, um trabalho beneficente. O amor do Peregrino, a necessidade de um forte envolvimento com algo, encontrará um objetivo. Ele tem de fazer isso.

O Peregrino é aquele que explora tudo isso, mas é o guerreiro que tem de se levantar e mudar as coisas. Note que o Guerreiro não precisa lutar com aqueles que não veem quem ele é realmente. O Guerreiro simplesmente tem que *amar* seu eu interior autêntico, validá-lo e usar essa segunda parte de si mesmo para se tornar um Guerreiro-Amante pleno.

Quando aceitamos a nós mesmos, sem julgamentos, é impossível não amar o que vemos. Também descobrimos que, ao nos aceitarmos, abrimos o coração para aceitar e amar os outros. Eles, por sua vez, consideram muito mais fácil nos aceitar.

Em trabalhos de grupo e *workshops* eu vejo uma versão disso o tempo todo. Percebi que, quando as pessoas falam com honestidade e sem fingimento sobre a vida, todas as pessoas na sala recebem uma oportunidade de se tornarem mais reais. Quase sempre essa oportunidade é aproveitada. É como se as pessoas tivessem esperado por isso a vida toda. E isso é fato, com algumas delas. Pois quando uma pessoa deixa de lado todos os seus papéis, o desejo de entreter, agradar ou impressionar, quando essa pessoa pode simplesmente ser e falar a sua verdade, é quase impossível não sentir amor por ela.

Nesse ponto não interessa quantos anos a pessoa tem, o que ela faz para viver, ou quanto ela ganha. Nada disso importa, porque amamos o âmago da pessoa. Às vezes isso nos permite amar mais a nós mesmos, quando vemos que somos, em nossos centros, aceitáveis e amáveis.

O Peregrino começou a perceber isso; o Guerreiro-Amante age de acordo com isso.

Em certas ocasiões, isso pode ser perigoso. Timothy Treadwell,[1] um homem que passou treze anos vivendo no mato ao ar livre, com ursos-pardos, descreveu a si mesmo como um "Guerreiro Animal", protegendo essas poderosas criaturas e seu hábitat. "Eu morro por esses animais", ele declarou e, infelizmente, foi o que aconteceu; ele foi morto por um de "seus" ursos. Quer seja considerado um santo, um lunático ou um tipo esquisito, isso é menos importante do que o fato de ele ter encontrado e estar predisposto a amar alguma coisa e lutar (de modo pacífico) por ela. Que esse amor o tenha matado não é o mais importante; ele fez o que fez apesar das consequências. Isso é amor e é um sentimento digno de Romeu.

Quando agimos de acordo com essa informação, essa descoberta, esse sentimento de que descobrimos o âmago de quem somos e o que devemos fazer, optamos pela liberdade. No entanto, a maioria de nós não precisa assumir uma causa tão radical quanto Timothy Treadwell. Resumido à sua essência absoluta, o que o Guerreiro-Amante deve fazer é valorizar seu próprio senso de livre-arbítrio.

Como propõe Miguel Ruiz em *The Voice of Knowledge*,[2] se realmente tivéssemos livre-arbítrio, alguém acha que optaríamos pelo drama, conflitos, discussões, dúvida, culpa e assim por diante? Realmente escolheríamos o infortúnio? Essas ações demonstram que a maioria de nós *não* tem livre-arbítrio. Ficamos zangados, agitados, deprimidos e torturados apenas porque escolhemos ficar assim, sem saber que temos outras opções. E assim podemos nos tornar escravos de uma atitude mental aprendida com as outras pessoas. Lembre-se de todas as pessoas que lhe disseram que você não era bom o suficiente, esperto o suficiente, inteligente o bastante? Tenho certeza de que você se lembra. Essas palavras o têm assombrado desde então, nos momentos sombrios. Pense em todas essas jovens mulheres de hoje que estão lutando para parecer supermodelos, matando-se de fome nesse processo; e jovens homens que mastigam esteroides não são diferentes. Estas são pessoas que não escolheram o livre-arbítrio.

O Guerreiro-Amante rejeita essa visão das coisas, em favor do amor por si mesmo, e ao fazer isso vive a partir de um lugar de integridade pessoal, um lugar de felicidade real.

Isso é importante. Como podemos amar outra pessoa com sucesso se não amarmos a nós mesmos? Se for nosso costume desvalorizar a nós mesmos, não será assim que trataremos nossos seres amados? Uma mulher expôs isso da seguinte maneira em um de meus *workshops*: "Se um homem não se apresentar bem, ele está dizendo que não liga muito para si mesmo. Eu não tenho tempo para homens assim. Se ele não trata a si próprio de maneira decente, então como é que ele vai tratar a mim?".

O Guerreiro-Amante sabe que o esforço não é apenas uma luta externa contra inimigos, mas um empenho interior de abraçar o amor. Pois, conforme a Bíblia nos ensina, devemos amar nosso vizinho porque ele é exatamente como nós, e devemos amá-lo como amamos a nós mesmos. Isso não significa que deveríamos tratá-lo do modo como costumamos tratar a nós mesmos, com todas aquelas rejeições internas que dizem que não somos bons o suficiente. Significa que temos de amar a nós mesmos plenamente e também amar os outros do mesmo modo.

Quando fazemos isso, estamos nos deslocando para o reino do Monarca.

O verdadeiro Monarca – o Representante de Deus, segundo os ideais da Renascença – é a pessoa que pode ver através da tela tênue das simulações comuns e perceber os verdadeiros motivos no coração dos outros. Isso só pode acontecer se o Monarca realmente amar e valorizar a si mesmo. O amor não nos cega, não nesse nível. Ele abre totalmente os nossos olhos. Para agir com base no amor precisamos ter uma coragem verdadeira.

Conforme vimos, é no estágio do Peregrino que o indivíduo começa a usar a coragem e explorar o que pode significar o amor. Para um observador externo, isso pode ser desconcertante, pois um Peregrino pode ser muitas coisas em termos sexuais: pode ser celibatário, até se sentir pronto para o compromisso na condição de Guerreiro-Amante; pode ser também insistente, ardente, até mesmo irresistível, de um modo apaixonado. Nesse exemplo, o que vemos é o anseio do Peregrino, o desejo que *este* amante seja o verdadeiro. Nisso podemos ver também os esboços de uma carência que pode mascarar o retorno do Peregrino ao estágio do Órfão. Pois o Órfão é aquele que precisa que uma outra pessoa, importante para ele, seja de um certo modo; que procura que a relação proporcione um sentido para a sua vida, que salve a sua alma. Da mesma forma, podemos ver que o Peregrino emergente deseja um relacionamento amoroso que o faça progredir e, no entanto, talvez ele não perceba de modo pleno que nenhuma outra pessoa poderia fazer o trabalho psíquico interno por ele. Felizmente, nossa época é liberal a respeito de questões sexuais, contudo homens e mulheres que talvez estejam à procura do amor verdadeiro ainda são com muita frequência rotulados de "tarados" ou "putas", quando simplesmente ainda não conseguiram atravessar com sucesso esse estágio. Rótulos desse tipo são quase sempre o presente dos Órfãos, que estão tentando se proteger dos resultados de sua própria timidez. Não é tanto o que fazemos que importa, e sim o espírito com que o fazemos.

O Guerreiro-Amante é facilmente distinguível, porque aprendeu a amar e respeitar a si mesmo e, por esse motivo, sabe como amar plenamente os outros. A inquietude do Peregrino foi resolvida em um vínculo amoroso apaixonado. O que torna essas duas figuras tão diferentes é que o Guerreiro-Amante deve ir ao encontro de suas próprias limitações, seu próprio desespero e seguir adiante. William Faulkner[3] assim o coloca: "Todos nós fracassamos em encontrar nossos sonhos de perfeição. Então eu avalio a nós mesmos com base em nosso esplêndido fracasso de fazer o impossível".

Se alguém tenta fazer o impossível, como diz Faulkner, então o fracasso é bastante garantido. Mas isso não significa que a tentativa não tenha valido a pena. O sucesso não é a medida da realização do Guerreiro-Amante, uma vez que essa medida é usada apenas pelos Órfãos, que podem concordar a respeito do que essa palavra significa para eles, mesmo se ela não tiver significado para os outros arquétipos.

O Guerreiro-Amante não é uma contradição, mas um equilíbrio de opostos. Esta é uma pessoa que pode realmente ser ela própria. E quando somos nós mesmos, nós damos e recebemos amor, porque podemos ver o âmago do que os outros são capazes de ser, em vez de julgá-los por aquilo que eles não são.

Para o Monarca, devemos considerar não apenas o exemplo de reis e rainhas terrenos (geralmente um bando mundano, confuso e orgulhoso de isolacionistas), mas uma outra coisa. Pensemos no regente de uma orquestra. O regente não cria a música, é claro, mas sem sua habilidade de conseguir que todos trabalhem juntos não haveria orquestra. Isso requer amor, porque todos os membros da orquestra são necessários e devem ser bem tratados, e também requer coragem para dizer que as coisas acontecerão de uma determinada maneira.

Vamos aprofundar essa comparação e pôr o Monarca diante de nós em forma de um artista musical, ou mesmo um famoso produtor de cinema. Quando essa figura está criando aquilo que lhe deu fama (criando música ou filme), esse não é um processo solitário. Ele requer muita ajuda das outras pessoas envolvidas em montar o equipamento, administrar os detalhes técnicos e de produção, e ajudar a visão do artista a se manifestar. Em geral, esses ajudantes têm de ser extremamente inventivos e criativos também. Qualquer pessoa que já tenha estado em um concerto musical sabe que uma apresentação muitas vezes diz respeito a todas as pessoas envolvidas "tocando" com criatividade. "Vamos tentar desta maneira" e "Você pode fazer isso de novo? Isso foi muito bom!" Esses são os sons da colaboração criativa.

Quando a criação é autêntica, ela toca almas, provoca em nós alegria ou lágrimas, e significa muito mais do que apenas um *show* musical de um artista.

Às vezes, é tão maior do que isso que os próprios músicos não sabem direito como tudo se uniu dessa maneira mágica, em que os membros do público não são mais espectadores passivos, mas contribuem ativamente com as emoções. É então que o Monarca torna-se um Mago.

O Mago é aquele que pode fazer isso acontecer sem dar ordens, ou fazer exigências. O Mago estimula, permite e promove a criatividade de todos os envolvidos. Jesus não poderia ter feito o que fez sem os seus discípulos; até mesmo a sua exibição menos bem-sucedida, a Crucificação, acabou se revelando, de forma espantosa, a ação mais criativa, comovente e de amplas consequências. Foi aquele dia desastroso no Gólgota que diretamente fez com que os 12 discípulos partissem por conta própria para disseminar sua palavra. Aquele evento extremo e horrível os energizou. Desastres aparentes podem ser triunfos magníficos quando o Mago está em ação.

Se levarmos isso a um nível mais cotidiano, tenho um colega, professor, que faz o seguinte comentário: "Quando eu era mais jovem, aprendi como impressionar meus alunos. Ao ficar mais velho, descobri que era muito mais importante que eles impressionassem a si mesmos, como resultado do que acontecia em minhas aulas". Se devolvermos poder e autonomia para aqueles que podem crescer como resultado disso, o amor pelos outros será maior do que o amor pela gratificação de nosso próprio ego, que deseja ser admirado pelo bom trabalho. Esse é um amor muito mais elevado. Ele também requer uma coragem que está muito mais próxima da fé do que qualquer outra coisa.

O Mago, portanto, é um ser que ama no sentido mais elevado, aquele que promove o amor criativo e produtivo que torna o mundo um lugar melhor. Se as pessoas à nossa volta forem felizes, amorosas e criativas, seremos todos mais felizes. Nesse ponto, não existe uma diferença real entre amor e criatividade. Os artistas pintam por estarem apaixonados pelas visões que percebem. Os escritores escrevem em sótãos frios por amarem o que eles têm a dizer sobre sua noção das coisas. E assim por diante. Arte e criatividade tratam ambas, em última análise, de respeito a um amor verdadeiro e profundo.

Há um trabalho odiento por aí, é claro, mas não é Arte. É propaganda, e exige que vejamos as coisas apenas de uma maneira. A Arte verdadeira não procura nos confinar; ela procura abrir discussões. É por isso que duas pessoas não conseguem concordar totalmente sobre o "significado" de uma obra; cada uma a verá de forma um pouco diferente, pessoal. E é assim que deve ser: a liberdade permite a liberdade, e é na liberdade que nós nos encontramos.

Quando os artistas criam e partilham a sua arte, eles mudam o nosso humor, a nossa disposição mental. Quem já não foi a um concerto e saiu dele com uma disposição diferente? É por isso que vamos. A beleza da música nos transforma. Saímos nos sentindo melhor, maiores do que quando entramos. Tudo o que aconteceu é que ouvimos uma porção de sons, mas esses nos elevaram e, de fato, mudaram a química do nosso corpo, porque cada emoção está ligada a uma mudança em nossos níveis hormonais e em nossa química cerebral. Isso é Mágica. Não admira que a lenda de Orfeu, o talentoso tocador de lira, é tão poderosa: Orfeu conseguia domar animais selvagens, até mesmo rochedos se moviam sob seu feitiço. Os antigos gregos conheciam bem a metáfora: mude o seu humor e você poderá mover objetos anteriormente insuperáveis. Esse é o poder transformador da música ou de qualquer arte. Saímos de um concerto, uma galeria, ou terminamos um livro vendo o mundo à nossa volta de maneira diferente. As pessoas podem chegar a esse estado simplesmente conversando entre si. São aquelas pessoas em cujas presenças nos tornamos mais alertas, mais inteligentes e mais honestos. As pessoas que sofreram e que conhecem o processo de regeneração pessoal podem exercer em nós um magnetismo incomum. Os músicos, que cantam as suas verdades, com voz alta e franca, às vezes nem mesmo precisam ter boas vozes; por exemplo, Dylan, Leonard Cohen e outros não têm vozes excelentes. O que vemos é que as pessoas se movem em sua direção. O músico sobe no palco e todos querem chegar mais perto. Por quê? Será que esse estranho magnetismo, que vem de alguém cuja energia pode mudar a nossa, de fato nos atrai? Ou será que, no fundo, reconhecemos o poder transformador do Mago e ansiamos por nos aproximar dele?

Conforme sabemos, uma pessoa pode ser um Mago no palco e ser uma pessoa muito desagradável na vida privada. Essa é uma pessoa capaz de ser um Mago apenas quando fazendo o feitiço, apenas naquele momento – e depois não pode voltar em silêncio ao papel do Monarca responsável. De fato, o poder do Mago pode ser tão inebriante que a figura para de pensar que as regras normais da responsabilidade se aplicam a ela.

Portanto, o Mago deve sempre se lembrar de onde vem essa criatividade – ela vem de Deus, ou Espírito, ou qualquer nome que queira dar para o poder que criou nosso universo e está emprestado a cada um de nós.

Talvez *Um Curso em Milagres*⁴ trate melhor disso no Capítulo 3:

> O Espírito Santo o ensina a despertar as outras pessoas. Conforme você as vê despertas, aprende o significado de despertar; e por ter optado por despertá-las, a gratidão e apreciação dessas pessoas por tudo o que você lhes deu ensinar-lhe-ão o valor disso.

Com certeza, é isso que o Monarca tem de aprender, e o Mago tem de praticar, embora todos nós possamos obter vislumbres disso em qualquer estágio. Qualquer pessoa que já tenha vivido esse processo comprovará o clichê: "A melhor maneira de aprender alguma coisa é tentando ensiná-la". Às vezes, os escritores relatam para mim que, ao reler as próprias palavras, ficam espantados diante do que percebem saber ao escrever, sem ter plena consciência de que sabiam. Em meus *workshops* e aulas uso a escrita para ajudar as pessoas a alcançarem exatamente esse lugar. Já tive até de dizer para meus alunos: "Releiam as suas palavras. Vocês são mais sábios do que pensam. Sigam seu próprio e excelente conselho". Em certas ocasiões, vi escritores que liam suas obras para um grupo e paravam espantados, de repente, perguntando: "Por que vivo como vivo se eu sei *isso*?".

Em meu trabalho, já tive a mesma experiência desanimadora. Um romance que escrevi (que permanece não publicado) explica em detalhes a teoria dos arquétipos, que se tornou o meu livro *Stories We Need to Know* muito tempo antes de eu articular, de maneira consciente, as ideias. Sabia mais do que pensava. Mais tarde, quando tinha a teoria delineada e comecei a ensiná-la, obtive um vislumbre do que *Um Curso em Milagres* estava tentando me dizer. E quando li aquelas palavras, eu disse: "É claro! É por isso que eu ensino!". As percepções intuitivas que procuro comunicar tornam-se muito mais poderosas do que originalmente eram quando se refletem de volta a partir dos outros, que me ensinam o valor daquilo que tentou se comunicar por meu intermédio. Qualquer pai ou mãe que olhou para seu filho com admiração, testemunhando a animação da criança ao aprender, sabe de tudo isso. Em momentos assim, vemos com novos olhos, pelos olhos da criança, e que dádiva isso pode ser!

Esse é o reino do Mago em cada parte de sua vida. A tarefa é alimentar as condições sob as quais os outros podem atingir, nem que for por um momento, o estágio do Mago. Um exemplo disso poderia ser visto, talvez, nas ações dos governantes da Renascença, muitos dos quais atraíam e ajudavam alguns dos melhores artistas da época. O teto da Capela Sistina poderia não ter sido pintado se o papa Júlio II não tivesse obrigado Michelangelo a pintá-la. É evidente que o papa Júlio podia estar se empenhando para garantir a própria glória, mas naquela altura ele sabia, além de qualquer dúvida, que estaria encomendando uma obra-prima extraordinária, que inspiraria e enalteceria todos que a vissem. E ela ainda faz isso. O papa Júlio certamente teve a inteligência política e a energia implacável que o tornaram um Monarca bastante violento; todavia, ele também conseguia permitir que essa parte sua fosse equilibrada pela compaixão, necessária para a apreciação da arte verdadeira. Quando ele ficou atento a esse impulso, tornou-se o Mago que permitiu que outros Magos prosperassem.

Isso nos leva à consideração seguinte: se a vocação mais elevada do Monarca deve ser vista como a criatividade e o seu desenvolvimento, temos também de lembrar que a primeira força diretriz da criatividade é o amor. Quando um músico se põe a criar música, costuma ser em resposta a alguma emoção relacionada ao mundo dos sons. O artista está celebrando algo relacionado com a vida. O pintor vê cor, ou forma, ou movimento e deseja utilizar essa experiência. Ao fazer isso, o espírito criativo honra um aspecto do mundo percebido. Cada obra criada, cada ato criativo, pode ser uma oferenda de amor ao mundo. Criatividade é amor, e é também uma comunicação sobre o amor.

Pontos a considerar

Se você leu e concordou com estas páginas, verá que pode haver algumas razões para a premissa com a qual iniciamos, de que os seres humanos estão nesta terra para aprender lições sobre o amor. Estas também incluem lições paralelas sobre coragem e criatividade. O impulso principal dos seis estágios de desenvolvimento, conforme são descritos aqui, é sugerir que estamos na Terra para descobrir esse nível mais elevado de amor, responder a ele e, em última análise, comunicá-lo aos outros. O Dalai-Lama vê as coisas de maneira semelhante quando ele escreve em *The Art of Happiness*[5]: o objetivo do gênero humano é ser feliz, não importa o que aconteça, e mostrar isso. Estamos aqui para comunicar uns aos outros a majestade da existência, por mais que haja pequenos ou grandes contratempos em nossa vida.

É evidente que alcançar o mesmo nível do Dalai-Lama não é uma tarefa fácil. Essa não é a questão. A questão parece ser que todos nós podemos viver momentos sublimes *às vezes*. Quer estes venham da meditação, quer da leitura de um belo poema, de pintar um quadro maravilhoso ou assistir a um pôr do sol magnífico – o método específico não importa. É um vislumbre do que poderia ser, da perfeição que está sempre conosco no presente, se optarmos por vê-la. E nesse momento, teremos nos tornado Magos. E aqui está a questão central: esses momentos estão disponíveis para todos nós, por breves espaços de tempo, seja qual for nosso momento de vida. Nossa tarefa é perceber que esses lampejos não estão simplesmente isolados, mas podem ser promessas de algo maior. Como o topo de uma montanha, que é vislumbrado de tempos em tempos quando caminhamos por uma floresta, o fato de não conseguirmos vê-lo o tempo todo não significa que a montanha tenha deixado de existir, quando a perdemos de vista. Ela está lá, só temos de tentar nos aproximar de modo que possamos ver mais dela, por mais tempo. Apenas Deus tem esse nível de consciência o tempo todo, eu suponho. O restante de nós tem momentos, lampejos dessa experiência, e poderemos nos aproximar desse estado se lembrarmos que estamos aqui para sentir e dar amor, de modo que este possa crescer.

O amor de fato opera milagres. As pessoas se tornam muito maiores do que julgavam possível quando são movidas pelo amor verdadeiro. Chamamos de "coragem" quando vemos nosso time favorito vencer, talvez. Contudo, ao trabalhar juntos, com absoluta confiança e devoção à sua causa, o time de sucesso tem tudo a ver com o amor. Pode ser "amor ao jogo", mas isso não difere tanto do amor a uma causa nobre – difere apenas em grau. O atleta que dá tudo de si em um jogo está apenas a alguns passos de distância da doação total de um santo, que devota sua vida a uma causa. Se for possível fazer isso por alguns minutos, será possível praticar e fazê-lo pelo resto da vida. A força básica em uso em cada caso é a mesma.

Estamos aqui para criar mais bondade na Terra: é então que a Mágica ocorrerá. Amor desse tipo não percebe o erro, ele só aceita o que é bom.

O que isso significa? Quando uma pessoa está dirigindo e toma uma direção errada, talvez passe por alguns momentos de ansiedade antes de redescobrir a estrada correta. Quando isso acontecer, haverá duas opções: a de ficar contente de ter retomado a rota, ou a de condenar a si própria pelo erro. Mas repreender a si mesma irá envenenar todo o prazer de estar no caminho certo. Apenas pessoas infelizes repreendem umas às outras por seus erros passados. O melhor meio de seguir adiante é não permitir que o erro seja importante. Há uma versão disso na Bíblia, na parábola do Filho Pródigo,[6] na qual o filho esbanjador retorna ao lar privado de recursos. Não importa realmente o que o filho que errou fez, quando estava sendo tolo, bebendo e jogando fora a sua herança. O que importa é que ele lamenta e que voltou ao lar, esperando começar de novo. Na parábola, o seu irmão mais velho não entende: por que devemos fazer festa para alguém que fez uma série de escolhas infelizes? O pai não passa muito tempo tentando explicar. É difícil explicar, seja o que for, para quem insiste em viver todos os dias com a lembrança dos erros passados. O irmão pode ter sido cumpridor de seus deveres e leal, quando o Filho Pródigo não foi, mas ele acabou se revelando crítico e rancoroso, e quer punir, em vez de amar. O seu desejo de ter razão é maior do que o de comemorar o retorno de alguém que julgava morto: o próprio irmão!

Imaginemos como isso poderia mudar o nosso mundo, se escolhêssemos abrir mão da necessidade de ter razão o tempo todo. Imaginemos como as coisas poderiam ser, se não quiséssemos ressaltar que estivemos certos o tempo todo, ou se parássemos de contar aos outros que confusão horrível eles fizeram, ou se parássemos de culpar o nosso passado, nossos pais, nossa formação, ou nosso ex-cônjuge pela nossa situação. Imaginemos como seria se simplesmente parássemos de fazer isso. Pensemos então em como as coisas poderiam ser, se nações inteiras e grupos religiosos fizessem o mesmo: se parassem de insistir que a maneira deles é a única maneira. As recriminações não teriam valor e as deixaríamos para trás, para dar lugar à alma amorosa que é cada pessoa. Aceitaríamos os outros de coração, em vez de julgá-los com o ego. Podemos escolher a felicidade e podemos escolher o amor, sempre.

Em termos da superposição entre amor e criatividade, temos de reconhecer que não se trata apenas de nós mesmos. Isso significa que temos de amar e honrar a criatividade em nossas famílias: nossos cônjuges, nossos pais, nossos filhos, mesmo se isso nos parecer estranho. Devemos respeitar a devoção criativa do corretor de valores (que toma muitas decisões todos os dias) mesmo se não for obviamente a mesma do processo do escultor. E devemos fazer o mesmo com todos os membros de nossa família.

As famílias costumam se equivocar com muita frequência ao não aceitar o ímpeto criativo de seus membros. A criança que adora desenho animado pode muito bem estar a caminho de chegar a uma visão artística própria, ou talvez apenas esteja passando por uma fase, de modo que mandá-la parar de assistir irá provocar ressentimentos. Isso pode chegar a solapar esse senso de criatividade e deixá-lo, no fim da adolescência, indiferente em relação a qualquer coisa criativa, ou até mesmo incapaz de mobilizar suas próprias forças produtivas.

Tenho em mim mesmo um exemplo, pois, quando criança, minha mãe sempre me dizia exatamente o que vestir. Então, a partir dos 8 anos, fui enviado a escolas que exigiam uniformes e, num momento posterior, apresentou-se até mesmo a exigência de roupas "informais" específicas para aqueles entre nós que eram alunos internos. Eu não consegui escolher a maior parte de minhas roupas antes dos 18 anos. Quando, finalmente, tive algum dinheiro e pude escolher por mim mesmo, não fazia ideia do que comprar. Não tinha prática. Enquanto isso, todas as garotas do meu bairro começavam a escolher suas próprias roupas pouco tempo depois de tirarem as fraldas, e assim haviam desenvolvido seu próprio senso de estilo e do que ficava bem nelas. Elas não tinham nenhum trabalho em selecionar cores e estilos. Quanto a mim, eu escolhia *jeans* e pulôveres escuros, como um modo de evitar erros. Era um Órfão no vestir, apenas tentando me adaptar. Bem, isso não me causou nenhum malefício duradouro, mas serve de exemplo. É apenas para ilustrar um dos modos em que a criatividade pode ser suprimida.

Isso parece sem importância? Vamos levar esse exemplo para além do caso pessoal. Pensemos nisso da seguinte maneira: o ato de nos vestirmos bem se refere, certamente, à autoestima e também ao amor pelas coisas que o mundo tem a oferecer e o respeito pelo nosso direito de gostar delas. Quando nos vestimos de maneira razoável, respeitamos a nós mesmos num nível muito básico, porque isso reflete o amor que sentimos pelo corpo que habitamos. Estar em paz com nosso corpo, amar quem nós somos e, ao mesmo tempo, estar perfeitamente cientes de nossos defeitos – bem, isso não é tão comum quanto poderíamos pensar. Como a anorexia e a bulimia não mostram sinais de desaparecer, como os fabricantes de cosméticos e os cirurgiões plásticos prosperam cada vez mais, e como os Estados Unidos se tornaram a nação mais obesa do mundo, temos o direito, penso eu, de perguntar quanto nos sentimos confortáveis em nossa pele, e o que isso diz sobre nós. Não estamos atualmente numa cultura amorosa e não amamos a nós mesmos.

Em termos da relação ambivalente que os americanos têm com a imagem corporal, e o ódio por si mesmos resultante disso, ainda poderíamos levar isso adiante. Os fabricantes, que sabem que a comida não faz bem, comercializam alimentos não saudáveis que costumam ser acusados pela epidemia de obesidade neste país. O que importa para eles é que ela vende e dá dinheiro. Se estivessem agindo de maneira realmente amorosa, será que rechearia a comida com todo esse açúcar e sal extra, mais as gorduras trans? Creio que não. Alguém acredita que eles insistam com os próprios filhos para que comam esses produtos? Duvido. Os fabricantes não estão agindo de uma maneira amorosa e as pessoas que compram esse tipo de alimentos sabem que não amam realmente a si próprias quando os consomem. É conveniente, rápido e parece barato no momento, embora não seja. Uma atitude realmente amorosa em favor do vendedor e do consumidor seria questionar o que está acontecendo. Nunca deveria ser suficiente apenas dizer "Eu gosto disso" e engolir um outro hambúrguer. Em vez disso, amar-nos-íamos o bastante para perguntar o que estamos comendo. Mas os Órfãos não questionam: eles aceitam o que lhes é oferecido, porque no fundo não acreditam realmente que sejam dignos de amor e não acreditam que merecem alimentos saudáveis. Assim, até mesmo comer se torna um modo de diminuir a autoestima.

No decorrer de décadas, muitas pessoas dedicadas lutaram arduamente pelo direito de ter alimentos que não vêm misturados com venenos e carcinógenos. Isso não é apenas amor por si mesmo, mas revela o amor atento e refletido do Guerreiro-Amante, que está predisposto a tomar uma posição por si mesmo, seus filhos e todas as pessoas. Do arsênico e chumbo na água à contaminação por alume, destinado a tornar o pão branco mais branco, aos hormônios e antibióticos na carne e no leite, estas são lutas nas quais vale a pena se engajar e são lutas amorosas.

Tomar o que lhe é dado, mesmo quando sabemos que não é bom, é um modo de dizer que não acreditamos que merecemos um bom tratamento, que não merecemos amor. Quando paramos de amar a nós mesmos dessa maneira, a coragem verdadeira começa a esmaecer e morrer.

O amor, como vemos, é uma questão que permeia cada aspecto da vida.

E isso nos traz de volta a um ponto a que me referi anteriormente, mas que vale repetir. O presente do Mago é nos fazer lembrar que estamos todos ligados à criatividade quase sem limites de nosso mundo. Estamos todos ligados, quer desejemos isso ou não. O Mago sabe que não existe separação entre as pessoas, exceto aquilo que criamos para alimentar nossos egos e nos fazer sentir melhor. Estamos vivendo um exemplo disso neste instante, enquanto você lê este livro. Ele foi escrito por alguém (eu) que nasceu na Inglaterra, num lugar que pode ser muito distante do que você chama de lar. Essas palavras aparecem diante de você, no papel que foi fabricado a partir de árvores que cresceram no Canadá, ou Sibéria ou Northfield, Massachusetts; árvores que foram cortadas por americanos nativos, cambojanos, exilados de Kosovo, a segunda geração de hispânicos, ou a sétima geração de irlandeses, usando serras elétricas feitas na China e montadas em Nova Jersey e abastecidas com gasolina misturada de oito países diferentes. Estamos ligados a muito mais coisas do que queremos reconhecer em nosso cotidiano, mas preferimos não ver isso; mas se o reconhecermos e pusermos de lado a miopia de nosso ego, é provável que nos sintamos muito agradecidos por tudo o que temos e pela rede complexa de vidas interligadas que fazem tudo acontecer. A gratidão é amor também.

Amor, coragem, honestidade e criatividade: sem amor nenhuma coragem pode aparecer, e sem coragem não existirá honestidade e, certamente, nenhuma criatividade verdadeira. Lembram da tríade cristã secular que costumava ser Fé, Esperança e Caridade? Isso agora foi alterado (conforme vimos) para Fé, Esperança e Amor. O amor é, de fato, o fundamento da Fé e da Esperança, que por sua vez são a base de todas as outras coisas boas. É preciso Amor para que tenhamos Esperança. A Esperança é a expectativa de que o mundo onde habitamos é realmente digno de confiança. A Fé é essa mesma confiança projetada no futuro. O Amor, em sua forma mais desenvolvida, é o fundamento de tudo isso. Nossa tarefa e a mensagem nestas páginas têm sido salientar que o amor existe em muitos níveis diferentes e que não é vantagem para nós insistirmos em ver apenas um de seus aspectos, pois, conforme crescemos em consciência, o amor redefine a si mesmo diante de nossos olhos. Sabemos disso simplesmente como sabemos que nossas paixões adolescentes não eram tão importantes quanto pareciam na época, embora naquela ocasião, envolvidos na densidade dessas experiências, elas parecessem ser a coisa mais importante do mundo. Nós crescemos, aos poucos, e o amor teve de ser reavaliado enquanto nos tornamos mais sábios.

Se não soubermos que existe uma versão do amor mais elevada, profunda, refinada e forte, então será mais do que provável que aceitemos o que quer que esteja em oferta, e nunca procuremos por mais. Os seis arquétipos nos dizem que existe mais sobre o amor, e que vale a pena o esforço para conhecer isso.

No nível mais elevado, o Mago ama a força criativa do universo, Deus, ou como quisermos chamar, de modo tão completo que ele se torna um canal para essa energia, e quando isso acontece, os milagres ocorrem. Nesses momentos, as pessoas são curadas de doenças que tiveram durante anos, ou se livram de condições agudas e supostamente fatais, ou enxergam com novos olhos e dão uma reviravolta na vida.

A maior lição que qualquer um de nós tem de aprender é a lição do amor, e talvez esta seja a única lição que existe.

Notas

1. Timothy Treadwell foi tema de diversos documentários da PBS e também do filme de Werner Herzog, *Grizzly Man* (O Homem-Urso), Lion's Gate Films, 2005. Em cada caso, os produtores usaram as próprias cenas notáveis do filme de Treadwell até certo ponto.
2. Miguel Ruiz e Janet Mills, *The Voice of Knowledge: a Practical Guide to Inner Peace* (San Rafael, CA: Amber-Allen Publishers, 2004).
3. A citação de William Faulkner é de: www.littlebluelight.com
4. *A Course in Miracles*, op. cit. p. 174.
5. Sua Santidade o Dalai-Lama, *The Art of Happiness: A Handbook for Living* (Nova York: Riverhead, 1998).
6. A parábola do Filho Pródigo aparece em Lucas 15:11-32.

Capítulo 11

Os seis estágios do amor nos contos de fadas, no folclore e nos tempos modernos

Para encerrar esta discussão sobre o amor e os arquétipos em nossa cultura, gostaria de dar alguns exemplos específicos, que mostram a maneira como os arquétipos podem funcionar como parte de uma narrativa ativa. Em cada caso, trata-se de uma narrativa de grande popularidade, guardada na memória durante várias gerações. Optei por considerar duas histórias do folclore popular alemão, coletadas pelos irmãos Grimm, e um filme "clássico" moderno, *Casablanca*, por compartilharem algumas semelhanças notáveis. Pois eles tratam da possibilidade de progresso das personagens principais em direção ao amor através dos seis arquétipos, e dos obstáculos que qualquer pessoa pode encontrar no meio do caminho.

Antes de prosseguirmos, vamos considerar, por um momento, como funcionam as histórias folclóricas, para que possamos tirar o máximo proveito do seu poder. Assim como o Tarô, a história folclórica é uma maneira de representar os estágios arquetípicos de uma forma memorável: ambos operam na imaginação humana de uma maneira específica, formando imagens às quais nos afeiçoamos; essas imagens arquetípicas são, em primeiro lugar e principalmente, uma forma visual. Construímos essas imagens em nossa mente em resposta a histórias que ouvimos, ou como consequência direta de vê-las em páginas ou cartazes. É só ver como as crianças se relacionam com as fábulas para compreender o poder que esses arquétipos têm de se infiltrar em nossas lembranças e em nosso pensamento. As crianças adoram que alguém lhes leia as fábulas, muito tempo antes de elas mesmas conseguirem ler, e gostam de olhar as ilustrações dos livros. Protestam contra qualquer tentativa de alterar ou encurtar as histórias (como bem sabem, por experiência própria, os adultos exaustos). A criança vai crescer e talvez esqueça muitas coisas, mas não a Cinderela ou a Branca de Neve. As imagens têm uma tendência notável de permanecerem, e a memória não retém nada que não pareça vital. Daniel Schacter, em *The Seven Sins of Memory*,[1] demonstrou que lembramos o que parece precioso e importante, e descartamos o resto. Talvez seja por isso que lembramos de alguns contos folclóricos e de algumas histórias a vida inteira, ao passo que outras, lidas com a mesma frequência em circunstâncias exatamente semelhantes, se perdem para sempre.

Em um passado não muito distante, as histórias folclóricas e os contos de fadas eram poderosos para quem os ouvia, porque eram repetidos (em geral por um estranho que era um contador de histórias itinerante e, portanto, uma figura meio misteriosa) e as repetições tendiam a ocorrer à noite, ao pé do fogo. Como sabe qualquer pessoa que tenha ido acampar quando criança, as histórias contadas em torno de uma fogueira têm um poder que nunca teriam se repetidas à luz clara do dia. Mistério e repetição eram os pontos principais, e essas histórias tinham, em potencial, um grande poder de persuasão.

É evidente que nem todas as histórias folclóricas são de excelente qualidade. Algumas são meras fábulas morais. Outras possuem finais capciosos, destinados a provocar o riso. Contudo, há outros exemplos que parecem irradiar um significado mais profundo; essas histórias tendem a ser mais longas e conter uma textura mais sutil do que as outras: esses são os mitos que sentimos que contêm importantes verdades psicológicas. É difícil descrever, mas mesmo uma leitura descuidada de uma coleção de histórias folclóricas revelará muitas que cairão no esquecimento e algumas que são absolutamente recorrentes.

Uma coisa que deve ser esclarecida é que esses contos folclóricos míticos eram lembrados e repetidos com precisão escrupulosa por seus contadores. Como expressa Joseph Campbell:[2] "Os mitos e lendas podem proporcionar divertimento por mero acaso, mas são essencialmente tutoriais". Enquanto ferramentas de ensino, eles devem permanecer exatos em seus componentes essenciais.

Grimm[3] deixa esse ponto absolutamente claro no comentário sobre sua tradução das histórias. Ele afirma que essas histórias específicas não eram mutiladas por improvisações aleatórias, feitas pelo capricho do contador. De fato, havia certamente variações, mas os elementos centrais das histórias, as estruturas principais, permaneciam intactos. Grimm as registrou por escrito porque temia que, conforme o tempo passasse, elas ficassem distorcidas ou se perdessem, mas antes que ele assumisse essa tarefa ninguém havia dado o primeiro passo para registrá-las, pelo menos de uma maneira mais criteriosa. Elas existiam apenas na memória daqueles que as conheciam e amavam. É a precisão de sua transmissão que torna essas histórias muito semelhantes ao baralho do Tarô: existem muitas variantes estilísticas do baralho, mas os elementos específicos de cada carta são repetidos com precisão no decorrer dos séculos, pois é nesses detalhes que o sentido da carta é comunicado. Está claro que estamos lidando com um sistema que, em ambos os casos, valoriza os aspectos específicos, porque se considera que eles refletem verdades maiores. Podemos não dar importância a isso, dizendo que as eras passadas eram mais conservadoras e mantinham padrões tradicionais como uma coisa natural, mas essa alegação seria condescendente e pouco inteligente. Desde o ano 1200 (a data aproximada do rápido crescimento da literatura escrita e também do aparecimento do Tarô), os nomes, a ortografia, os padrões de discurso e a gramática variaram enormemente em todas as línguas europeias. Hoje seria muito difícil para nós a compreensão do inglês falado ou escrito há oitocentos anos. Contudo, a nossa língua se sujeitou exatamente às mesmas forças que o folclore e as representações arquetípicas das histórias. A linguagem variou; as estruturas das histórias folclóricas permaneceram constantes. Essas histórias e imagens perduraram exatamente da mesma maneira pela qual os traços geográficos da paisagem permanecem intactos, porque eles são os padrões básicos contra os quais a vida diária prossegue.

As duas histórias de que quero tratar aqui, e que se distinguem, de modo particular, na coleção dos Irmãos Grimm,[4] são chamadas de *The Gold-Children*[5] (*Os Filhos de Ouro*) e *The Brothers*[6] (*Os Irmãos*). É muito claro que elas são variantes de um tema semelhante e têm elementos estruturais substanciais em comum. Max Luthi[7] vincula esses dois contos a toda uma classe de histórias, as quais têm os mesmos elementos, que ele agrupa como histórias de "matador de dragão". A trama básica de cada uma é a seguinte: em ambos os contos, irmãos gêmeos saem de casa com seus animais, em busca de prosperidade no mundo, até que um dos irmãos volta, desencorajado; o outro prossegue. Quando eles se separam, em *The Brothers*, eles cravam uma faca numa árvore; cada lado da lâmina mostrará a direção que cada um deles tomará, e eles concordam que, se a lâmina enferrujar, isso significa que o irmão que foi naquela direção precisa de ajuda. Em *The Gold-Children*, a mesma ideia se aplica, mas o objeto é um par de lírios dourados, um para cada irmão, que irão murchar se um deles estiver em dificuldades. Em ambos os contos, o gêmeo que continua enfrenta um desafio e encontra uma donzela para casar. Em um caso, ele tem de matar um dragão e é enganado pelo grão-marechal do rei, perdendo o seu prêmio, de modo temporário. Quando o casamento é realizado, o irmão em ambos os exemplos decide ir caçar, apesar dos apelos da esposa para que não o faça. Quando está no meio do bosque, ele encontra uma bruxa que o transforma em pedra. Ele permanece uma estátua até que o irmão que havia retornado para casa vê a lâmina da faca enferrujada (ou o lírio murcho) e parte para salvá-lo. A bruxa é forçada a reverter a sua mágica. Em consequência, o irmão volta à vida, retorna ao lar para sua esposa e vive feliz para sempre.

O que é digno de nota nessas duas histórias é que cada uma se concentra apenas em um dos gêmeos. Em ambos os casos, os gêmeos saem de casa com seus animais, que os seguem (um reflexo da fase do Órfão), e põem-se a caminho; em um certo ponto, eles se separam. Na primeira história, um dos irmãos volta para casa depois de sofrer as rejeições do mundo, preferindo retornar ao seu eu Inocente; na outra história, o gêmeo simplesmente fica perambulando em busca de trabalho. Em *The Gold-Children*, o irmão errante tem de se disfarçar em uma pele de urso, para evitar ladrões que poderiam ser atraídos pelo ouro de sua pele; isso sugere que o Peregrino emergente tem de se concentrar em nutrir seu valor interno, em vez de se preocupar com a exibição externa. É o ouro interior que importa. Ele então encontra uma donzela para se casar, que o ama apesar de seu estado andrajoso. Nesse exemplo, ele é um Peregrino, determinado a seguir adiante, embora seu próprio irmão tenha outras ideias. Ele encontra alguém que ama suas qualidades interiores, arriscando-se à ira paterna por ele; assim, ele encontra a si mesmo na condição de um Guerreiro-Amante. Na outra história, o irmão empreende uma luta com um dragão, sendo mais facilmente identificável como um Guerreiro-Amante.

Antes de prosseguir com as histórias, devemos fazer algumas observações. Um ponto em que se deve prestar atenção (que ocorre em um grande número de outras histórias em que a personagem central começa uma viagem) é que em cada caso a personagem principal leva alguma coisa com ela de sua casa, sejam animais, sua pele dourada e cavalo dourado, sejam, em algumas versões, apenas as ferramentas de seu ofício. É um pequeno detalhe, porém poderoso, uma vez que reflete uma verdade psicológica. Na condição de Órfãos, queremos que alguém tome conta de nós, mas na condição de Peregrinos precisamos aprender como utilizar nossas experiências passadas e habilidades (as coisas que levamos conosco) como ferramentas para nos ajudar. Em muitos contos folclóricos, isso significa usar as coisas levadas pela personagem principal com generosidade, para ajudar os outros, o que dará surgimento a uma melhor recompensa posterior. Por exemplo, em *Donkey Cabbages*,[8] outro conto da coleção dos Grimm, o caçador errante dá dinheiro à velha senhora. Esta, então, explica-lhe como usar sua arma para matar o pássaro que lhe dará o manto dos desejos, e cujo coração, quando engolido, garantirá uma moeda de ouro sob o seu travesseiro todas as manhãs. Esta é uma fórmula familiar, em muitos contos. Em termos psíquicos, ela nos diz para não nos agarrarmos cegamente às esperanças que vêm com o dinheiro, mas exercitar a generosidade espiritual e a abertura, respeitar os outros e ouvir o que eles podem nos contar sobre o uso que fazemos de nossos talentos. Na verdade, temos de estar dispostos a correr riscos e a nos abrir a possibilidades, e é disso que o Peregrino deve ter consciência. A mentalidade do Órfão seria de se segurar ao dinheiro quando ele está curto, e não abrir mão dele. O Peregrino, entretanto, não pode tornar-se um verdadeiro Peregrino nessas histórias, se não agir com generosidade e abertura. Quando ele faz isso, descobre que ganha mais ferramentas, que então o impelem aos desafios que ele irá enfrentar; sem essas ferramentas, não seria possível pensar sobre nenhum tipo de busca.

Esse é um ponto importante acerca da transição do Órfão ao Peregrino. Em termos modernos, todos nós temos pré-concepções e bagagem emocional. A questão vital é não se apegar a elas, mas utilizá-las. Observei muitos alunos, cujas experiências infelizes na escola elementar os tornaram determinados a entrar na faculdade e obter um diploma em educação, e que se dedicaram a tornar-se professores melhores do que aqueles que os haviam magoado. Trata-se de pegar o que se tem e fazer disso um uso diferente, de maneira produtiva, de modo que a dor se transforme em cura e amor, em vez de ressentimento. Em termos simbólicos, escutar a "velha mulher" ou o anão, ou a figura que aparecer, pode ser visto como estar aberto a ideias que vêm dos outros, por mais estranhas que pareçam, e pode também representar a necessidade de ouvir o nosso próprio senso de sabedoria interior. É isso que nos levará ao caminho do Peregrino, quando nos libertarmos do pensamento convencional.

Voltando aos *The Brothers* e *The Gold-Children*, em ambas as histórias o irmão temerário casa, a despeito da oposição do pai ou figura de autoridade, e se torna um Guerreiro-Amante na arena doméstica. Por exemplo, em *The Brothers* o gêmeo ganha o amor da princesa por matar um enorme dragão, embora o grão-marechal o engane por um ano, sem lhe dar a recompensa. Depois de ter desmascarado o grão-marechal, ele se casa com a princesa e é saudado como um príncipe pelo seu novo sogro. Em *The Gold-Children*, o casamento é permitido depois que o pai da noiva vê a pele de ouro do jovem e decide não matá-lo. Em ambos os casos, os jovens mostraram o seu valor interno. Para algumas histórias do folclore, este seria um término natural, mas ambos esses contos continuam e aprofundam o valor do que eles têm a comunicar.

Em ambas as histórias o gêmeo casado, em sua busca, vai caçar (um veado ou uma corça), encontra uma bruxa e é transformado em pedra. Nesse ponto, o outro gêmeo vê a flor murchar, ou a lâmina da faca enferrujar, reconhece de imediato o que isso significa e vai socorrer o irmão, libertando o gêmeo encantado e levando-o de volta à sua esposa.

Em termos arquetípicos, isso indica que o Guerreiro-Amante pode tornar-se incapaz de prosseguir, conforme passa para o nível do Monarca, optando por correr de um lado para outro, de maneira improdutiva, em vez de crescer em sabedoria. Em termos tradicionais, caçar o veado era prerrogativa apenas do Monarca; portanto, isso pode significar que quando alguém está feliz na união com seu amante, ficará tentado a agir como um Monarca, mesmo que ainda não seja um. Em alguma medida, isso reflete a ideia que discutimos antes, sobre o perigo para o Guerreiro-Amante de se entregar a um relacionamento exclusivo, que pode afastar qualquer pessoa de uma noção mais ampla de seu potencial. Em *The Brothers*, a esposa roga para que o gêmeo não vá caçar. O fato de ele desconsiderar as suas súplicas mostra que ele não está em plena harmonia com ela, nem pronto ainda para estar num par equilibrado de Monarcas. Ele decide passar por cima dela, e satisfazer a si mesmo. Uma vez que o Monarca deve ser um equilíbrio completo dos aspectos masculino e feminino do eu, essa é uma maneira de o conto sugerir como o amor pode dar errado.

O irmão cavalga, encontra a bruxa e é transformado em pedra, porque ele age de maneira despótica em relação a ela (ele ameaça atirar no seu cão que late e pertence a ela). A variação disso em *The Brothers* é que o jovem concorda em golpear seus próprios animais com o bastão para torná-los inofensivos. Ao fazer isso, ele ofende a lealdade instintiva e intuitiva do reino animal, sem conseguir respeitar aquelas criaturas que lhe deram tanto apoio. Os animais idênticos, como nos lembramos, eram aqueles que atacaram e liquidaram o dragão enquanto ele se mostrava incapaz de terminar a tarefa. Quando ele torna inofensivos os seus ajudantes animais, fica indefeso contra a bruxa. O simbolismo é bastante acessível: o pseudomonarca torna-se arrogante e desconsidera os seus fiéis seguidores. Como resultado, o aspecto feminino de si mesmo, que estava simbolizado pela noiva, transforma-se em algo muito menos saudável na forma da bruxa, que o faz virar pedra. É uma maneira de dizer que o casamento ficou estagnado e num beco sem saída. Nos dias de hoje, é pouco provável que o irmão estaria caçando um veado; ele estaria jogando golfe de forma compulsiva, ou seria alguém viciado em trabalho. Como reação a isso, a sua esposa tenderia a se tornar cada vez mais descontente – uma bruxa, na linguagem coloquial, até que o casamento de fato começasse a morrer, incapaz de mudar em qualquer direção.

Esse irmão começou a ter problemas no casamento porque parou de escutar a sua esposa e, portanto, a parte "feminina" de si mesmo; além disso, ele não se encontra mais numa relação vital e respeitosa com seu eu instintivo, como é ilustrado em sua negligência com os animais, que fizeram parte de sua vida até aquele momento. Ele é como um monarca desequilibrado: desrespeita aqueles que lhe são leais e dependentes dele.

É nesse momento que o outro irmão vem em seu socorro – a outra parte do eu. Seu irmão não é enganado pela bruxa e, na verdade, sabe exatamente aonde ir e como forçá-la a reverter o feitiço. O primeiro irmão é reanimado e, deixando de estar preso em seu papel, abraça o seu salvador, que veio diretamente da casa paterna. Nessa condição, ele poderia ser visto como o Inocente que assumiu o *status* de

Órfão, partiu numa Peregrinação e desafiou a bruxa má como um Guerreiro-Amante que ama o seu irmão. É de notar que ele não faz isso em proveito próprio, mas pela ligação vital com seu irmão gêmeo. Além disso, ele não é enganado pela bruxa má, porque vê no mesmo instante que ela significa encrenca. Seus julgamentos não foram anuviados pelos anseios do ego, aos quais seu irmão havia respondido. E assim o irmão reanimado retorna para sua esposa e para muita alegria. Em diversas variantes da história, eles então se tornam Rei e Rainha.

Um episódio importante que existe na metade de *The Brothers*, mas não em todas as variantes, mostra como o irmão que matou o dragão envia seus animais domesticados para obter alimentos e roupas para ele, do estoque do próprio rei. Está determinado a estar tão equipado como o próprio rei quando pedir a filha deste em casamento. Esse tipo de ênfase na exibição externa tende a reforçar a noção de que esse irmão é mal orientado pelas preocupações do ego acerca da opinião que os outros têm dele.

O tema que emerge é que o irmão não corrupto dá vida ao irmão que está confuso e preso na cilada do aspecto destrutivo da sombra do eu. Isso é exatamente o que o Guerreiro-Amante e o Monarca devem enfrentar, esse desejo de ser irresistível, correto, e excessivamente impetuoso, ignorando assim o aspecto feminino do eu. O seu eu amoroso sem mácula (o irmão gêmeo) o leva de volta para o lugar onde ele precisa estar.

Notemos que o segundo irmão não ameaça o cão da bruxa — um símbolo de fidelidade — porque ele é fiel ao seu irmão, ao seu senso do eu completo. Ele não pode deixar seu irmão existir como uma meia pessoa, presa, paralisada e desamparada. Precisa que seu gêmeo seja inteiro, assim como a lâmina da faca precisa que ambos os lados estejam livres de ferrugem ou ela fica enfraquecida, e assim como todos nós precisamos nos tornar pessoas inteiras antes de podermos nos vincular plenamente com nossos amantes. Ele faz lembrar o seu irmão de que ninguém existe sozinho e o conduz de volta à sua ligação mais profunda: a sua esposa.

Os contos têm uma semelhança surpreendente com cinco dos seis estágios e, embora o Par de Monarcas seja o nível mais elevado a ser claramente atingido, temos de lembrar das palavras do fim de quase todas as histórias folclóricas: "e eles viveram felizes para sempre". Esse é um gesto dirigido ao senso de satisfação e ligação com o divino que o Mago adquire. A chegada do gêmeo Inocente permite que o feitiço do mal seja revertido. É provável que o Mago só surja quando o Monarca puder perceber o exemplo da devoção do Inocente. Em termos modernos, é somente quando vemos o amor que as crianças pequenas (que são Inocentes) têm por seus pais que começamos a repensar o que o amor pode ser em nossa vida.

Os contos têm uma sutileza surpreendente, no sentido de que a escolha dos gêmeos é um detalhe que faz lembrar ao leitor que ninguém existe sozinho, desligado e inteiro por si próprio; essa é a ilusão do ego. Esse é o tipo de pensamento que dá ênfase ao que "eu" consegui, em vez de considerar aonde as circunstâncias nos trouxeram. Quando o gêmeo caça o veado ou a corça, não se trata de encontrar comida; trata-se de levar para casa um troféu. Esse é o ego em funcionamento. A chegada do segundo gêmeo nos faz lembrar que estamos todos interconectados uns aos outros; todos nós fazemos parte da criação divina e, quando esquecemos isso, é como se tivéssemos rejeitado metade de nossa personalidade. Se fizermos isso, então de fato nos tornaremos tão úteis e tão conscientes como estátuas de pedra.

A história é uma avaliação elegante de uma luta humana central, que tem relação com o amor ao nosso verdadeiro eu como uma parte vital da criação, em vez de amar as recompensas do ego, e ele esboça uma ideia geral das lutas enfrentadas em cada ponto com economia e precisão. Até certo ponto, é sempre o ego que nos envia para o mundo como Peregrinos, pois sem ele de modo algum daríamos o primeiro passo. A tarefa então é descobrir quem somos em termos que não sejam simplesmente limitados à maneira como o ego vê as coisas.

É sempre possível desconsiderar os contos folclóricos, alegando que foram alterados e remendados de modo irremediável através dos anos; é, em parte, por isso que optei por duas histórias que são essencialmente as mesmas. Elas mostram como as histórias podem ser alteradas enquanto retêm os elementos essenciais aos quais fizemos referência. O que é notável acerca dessas duas histórias é sua sofisticação psicológica. Na distância rural de algumas regiões remotas da Alemanha pode-se esperar que as noções de amor e crescimento pessoal fossem rudimentares. Essa ideia revelou-se errônea. As histórias têm revelações significativas para nós atualmente. Pois hoje em dia temos diversas "viúvas de golfe"* que são ignoradas, tal como a princesa o é. Os maridos geralmente parecem ignorar por que suas lindas noivas se transformaram em bruxas ressentidas quando tudo o que o homem fez foi não estar muito em casa. Como o irmão que concorda em ter seus fiéis animais transformados em pedra, os pais ignoram suas famílias e os chefes ignoram seus empregados e membros do conselho. Quando as coisas perdem o equilíbrio, eles não conseguem ver onde erraram. E não sabem como salvar a situação. A resposta, conforme sugere o conto, é conectar-se novamente àquela parte do Inocente que é confiante e amorosa, e que valoriza a reciprocidade da verdadeira ligação amorosa. Isso significa

---

* Golf Widows é um *cartoon* americano que fala sobre os maridos que deixam as mulheres sozinhas para jogar golfe com os amigos. (N.T.)

deixar para trás as tentações do ego. Isso significa colocar o amor em primeiro lugar. E então a mágica aparece.

Agora vamos dar uma olhada numa história diferente, uma obra moderna que se tornou a sua própria história folclórica. Estou me referindo a *Casablanca*,[9] a lenda Bogart-Bergman que foi exibida pela primeira vez em 1942, dirigido por Michael Curtiz. Nele podemos ver um outro exemplo de como as personagens podem ficar impedidas de prosseguir em seus caminhos para atingir o amor.

Na época não se esperava que o filme fosse um grande sucesso de bilheteria, mas ele resistiu e se tornou uma espécie de ícone cultural. Foi visto, no início, como uma história que falava abertamente sobre a política de neutralidade dos Estados Unidos com relação às forças do Eixo, durante a Segunda Guerra Mundial. No entanto, o interesse que despertou no público manteve-se vivo por mais tempo do que o esperado, em parte porque reflete aspectos do desenvolvimento espiritual que há mais de sessenta anos tocam fundo muitas pessoas.

Quase todos nós conhecemos a trama e até as palavras de *As Time Goes By*, conforme tocada por Sam, o pianista. A ação central do filme começa quando Rick, um americano de reputação um tanto duvidosa, que é proprietário de um bar em Casablanca, é surpreendido pelo reaparecimento de Ilsa, sua amante quando eles moravam em Paris, exatamente no período em que os alemães invadiram a cidade, em 1940. Os sentimentos dele ficaram feridos quando ela o abandonou, na época, e ele ainda sofre. Infelizmente para ele, ela agora está com seu marido, Victor, um ativista antinazista que está tentando partir de Marrocos e seguir para Lisboa e, depois, para os Estados Unidos, para prosseguir sua luta. Os Estados Unidos ainda eram oficialmente neutros nessa época (1941). Rick deixa bem claro que ele só se interessa por si próprio. Por uma guinada do destino, os documentos que Victor e Ilsa precisam para partir são passados a Rick. Este pensa em usar os documentos em proveito próprio, mas então decide usá-los para permitir que Victor e Ilsa, que estão em perigo, fujam. A seguir, ele tenta fazê-los chegar, juntamente com os documentos, ao aeroporto; deve vencer pela astúcia tanto os nazistas, na forma do major Strasser, como o capitão Renault, o chefe de polícia francês. Além disso, deve convencer Ilsa a partir com seu marido, em vez de ficar com ele. Isso requer algum esforço, que tira Rick de sua neutralidade, tornando-o uma vez mais um homem que acredita em algo mais do que apenas ganhar dinheiro.

Em termos arquetípicos, o padrão é muito claro. No início do filme, Rick é um Órfão isolado em Casablanca, envolvido em várias transações semilegais com outros aproveitadores e salafrários. O seu passado é sombrio, todos negociam com ele, e ele é conhecido por diversos nomes como Rick, Richard, Ricky, Mr. Rick e Monsieur

Blaine, o que sugere que ele pode ser qualquer coisa para qualquer pessoa, se os negócios assim o exigirem. Mas existem mais coisas sobre ele. Descobrimos que, no passado, ele foi um contrabandista de armas, tanto para os etíopes (combatendo os fascistas italianos) como para os espanhóis republicanos (combatendo os fascistas de Franco). Assim, em certa época, o seu coração estava no lugar certo; talvez ele tenha sido até um Guerreiro-Amante, mas agora ele obviamente resvalava de volta ao cinismo defensivo do Órfão.

Então aparece Ilsa. Quando eles se conheceram e se apaixonaram em Paris, ela era, literalmente, uma Órfã; ela acreditava que seu marido estava morto e não sabia o que fazer. Entretanto, agora ela cumprimenta Rick como uma Monarca. Ama seu marido e é dedicada a sua causa. Ela comete o erro de tentar falar com Rick e se explicar (ela não sabia que o marido ainda estava vivo quando se apaixonou por Rick), mas ele está bêbado demais e muito envolvido na mentalidade do Órfão, de autocomiseração, para ouvir o que ela diz.

Para nossa discussão, poderíamos dizer que tanto Ilsa como Rick haviam sido ligados a causas que, de algum modo, os desapontaram (mesmo que só de modo temporário, no caso de Ilsa), de modo que eles se conheceram em Paris na condição de Guerreiros-Amantes derrotados, que haviam recaído na fase do Órfão. Não é de admirar que eles se apaixonassem com tanta facilidade! Eles são exatamente iguais, em busca do abrigo de braços solidários.

Rick permanece o Órfão ferido, até que Ilsa retorna para vê-lo uma segunda vez, em seu bar, desafiando o toque de recolher. Ela certamente demonstra coragem e, quando lhe aponta uma arma para que ele parta com os documentos de que ela e Victor precisam, ele vê algo nela que havia esquecido em si mesmo. Por um momento ela causa forte impressão, depois cai em seus braços dizendo: "Não sei mais o que é certo ou errado". Com efeito, a tensão é demasiada para ela, que recai na existência do Órfão, querendo que outra pessoa decida o seu destino. Naquele ponto, Rick vê o Guerreiro-Amante que ela pode ser, e resolve que ele próprio deve seguir adiante também.

Em tudo isso, Rick sente que precisa expressar o melhor de si. É na sua falsidade subsequente que ele se mostra como o manipulador consumado por uma boa causa. É isso que o torna capaz de levar Victor e Ilsa para o aeroporto, enganando tanto o major Strasser como o capitão Renault, e até mesmo Ilsa, que pensa que ela subirá no avião com Rick. É um procedimento de mestre.

Vale a pena lembrar do discurso final de Rick para Ilsa, porque ele lhe diz que se ela o escolher, ela se arrependerá disso: "Talvez não hoje. Talvez não amanhã, mas logo, e pelo resto de sua vida". Há uma sabedoria verdadeira nisso. Rick sabe que ele e Ilsa *poderiam* reanimar o seu amor, mas apenas no nível do Órfão ferido que um dia eles conheceram. Reconhece que nunca passaria disso, porque conseguir o que ele deseja implica trair uma causa boa e nobre (a atividade antifascista de Victor); assim, não haveria possibilidade de um crescimento verdadeiro e honesto de seu amor. Ilsa sabe o que é fazer parte de um Par de Monarcas com Victor, e mesmo que isso seja muito difícil, nenhuma outra coisa jamais chegará perto dessa experiência. Os Órfãos, como sabemos, tendem a buscar o abrigo que lhes for conveniente no momento; os Guerreiros-Amantes (que foi o que Rick se tornou, no mínimo) veem mais longe e podem assumir uma perspectiva mais ampla. Rick não fala em termos de arquétipos, mas é evidente que ele sabe de uma ou duas coisinhas sobre integridade, e que seu amor não se encontrava no nível mais elevado possível para cada um deles. É uma fala surpreendente, de fato. Ele reconhece que existem níveis de amor, e que ele ainda não está no maior nível, por mais forte que possa ser a sua necessidade pessoal.

Victor Laszlo parece funcionar como um Monarca que, em certas ocasiões, é um Mago. Ele escapa de um campo de concentração, seu nome está em toda parte, um sinônimo de resistência aos fascistas; tem o talento de unir pessoas contra a opressão e é célebre por isso. Em uma das cenas mais famosas do filme, os nazistas encontram-se no café de Rick cantando canções fascistas, e Victor ordena à banda que toque *La Marseillaise*. Vale notar que o maestro da banda olha para Rick pedindo aprovação, *e ele concorda*. A banda começa a tocar, todos os franceses se levantam e gritam alto seu hino nacional, e os nazistas aprendem que não podem se safar com suas maneiras dominadoras sem excitar uma revolta. É um momento maravilhoso e fortalecedor. Entretanto, a vitória dura pouco e o bar de Rick é fechado, como seria de esperar. Mas a questão moral maior é deixada clara: é o ato de um Mago de fazer as pessoas se responsabilizarem por seus sentimentos e lealdades mais profundos. Victor mobiliza o respeito por si próprio e a decência, e ambos são formas de amor.

Victor é interessante também em um nível pessoal, porque ele sabe que algo aconteceu entre Ilsa e Rick, e ele chega a perguntar se ela quer dizer alguma coisa. Ele sabe que as pessoas cometem erros, que elas se desesperam e recaem no nível do Órfão, e ele a ama de todo modo. Ele ama a melhor parte dela, não os seus erros. Ele é, de muitas maneiras, um Mago, trabalhando pelo maior bem possível, arriscando tudo e trazendo à tona o melhor das pessoas nesse processo. De fato, ele e Ilsa provocam o melhor de Rick. Pode-se dizer que eles funcionam como um Par de Monarcas que também traz o Mago à existência, quando necessário.

No clímax do filme, Rick atira no major Strasser, Renault desiste de seu papel de colaborador francês de Vichy por desgosto, Victor e Ilsa partem no avião, e Rick e Renault vão embora para se juntar aos franceses livres em Brazzaville. Eles formam um par improvável, mas a fala famosa "Isso poderia ser o começo de uma bela amizade" de fato mostra ambos como Guerreiros-Amantes. Não são mais Órfãos e partem para lutar por uma causa. Caso não esteja claro, vamos lembrar que ambos os homens desistiram de uma vida sexual superficial; Rick desistiu da garota francesa do bar, e Renault teve de desistir de seduzir as jovens que queriam vistos de saída, de maneira que eles transcenderam o sexo casual sem significado. Talvez Ilsa tenha inspirado os dois. Talvez Renault também tenha sido inspirado por Rick, que frustra pelo menos um dos casos de Renault, por um senso de indignidade moral. Não importa exatamente como isso acontece, porque a maneira do Mago é que a inspiração parece crescer de si própria, e Victor esteve por perto de ambos o tempo suficiente para que seu modo de pensar mudasse para sempre.

Assim podemos ver que os seis arquétipos existem nessa história folclórica também, e eles não têm apenas que ver com o amor sexual, mas com um amor que está ligado a um padrão de conduta moral. Do conto antigo ao mito moderno, as preocupações são as mesmas, e podemos entender cada uma de modo mais pleno quando as vemos se desenvolver nos seis estágios, mostrando como qualquer pessoa pode ficar incapaz de prosseguir e a maneira de se libertar novamente.

Estas páginas foram uma tentativa de mostrar que a vida é uma jornada em direção ao amor, que atravessa estágios distintos, e o preço de deixar de empreender essa jornada é permanecermos na condição de seres humanos que estão vivos apenas pela metade, desvinculados do Divino e perdidos nos domínios do ego. O conjunto de imagens do Tarô pode nos mostrar o caminho adiante, como também a literatura que está ligada aos mitos e aos contos folclóricos. Melhor ainda, nossas histórias mais modernas também podem nos conduzir da mesma maneira se as considerarmos a partir dessas lentes. Joseph Campbell chamou isso de "a *linguagem ilustrada da alma*" (grifo meu) que ele sentia estar ligada diretamente aos nossos sonhos e ao Inconsciente Coletivo. Campbell fez remontar o declínio dessa maneira mítica de pensar ao crescimento do Iluminismo na Europa com sua ênfase na racionalidade. Seja isso verdade ou não (e é um ponto convincente), é exato dizer que o que pode nos mostrar o caminho adiante é uma linguagem basicamente visual. Depois de um intervalo de dois séculos e meio, é tempo de prestarmos mais atenção nisso.

Isso nos traz ao círculo completo, de volta à pintura de Gauguin e às perguntas importantes que ele fez. Ele viajou meio mundo para o Taiti, para tentar se afastar das pressões sociais sufocantes de uma vida burguesa parisiense, de modo que tivesse a liberdade suficiente para encontrar respostas. "Quem somos nós? De onde viemos? Para onde vamos?", ele perguntou. As respostas não estão escritas. Ele as mostrou nas reações assombrosas e apuradas à beleza das formas humanas que pintou. As figuras têm todas as idades, desde o bebê até a mulher idosa esperando a morte e, se quisermos assim, podemos ver os seis estágios nos arranjos que ele apresenta. Nas expressões de seus rostos podemos ver, talvez, que esses taitianos não estavam aflitos, de maneira nenhuma, pelas questões que criam o título da pintura. Eles eram, para Gauguin, uma ilha de Inocentes, isolados pelo mundo moderno de interesses do ego, pessoas que já conheciam o amor, o desapego e a paz. Suas pinturas são oferendas de devoção à aceitação instintiva que eles tinham das maneiras em que a vida se desenvolve. Não é de admirar que ele tivesse de fugir para encontrá-los. Ele, o magistral pintor, um Monarca em suas habilidades, constrito em Paris, sentiu-se forçado a chegar à ilha dos Inocentes. Ele precisava deles, assim como a alma amortecida do gêmeo que havia se perdido precisou de seu irmão Inocente para socorrê-lo. E quando o Inocente é convidado novamente para o mundo do Monarca, quando de fato vemos com olhos desobstruídos e, não obstante, com sabedoria, o Mago surge. O mundo se torna um milagre. Ao explorar a sua própria questão, Gauguin parece concluir que estamos aqui para amar e honrar a mágica da beleza cotidiana, conforme passamos através dos estágios da vida.

Notas

1. Daniel Schachter, *The Seven Sins of Memory* (Boston: Houghton Mifflin, 2002).

2. Joseph Campbell, em: *The Complete Grimm's Fairy Tales*, *op. cit.* Os contos são descritos como "tutoriais" na p. 841.

3. Wilhelm Grimm, prefácio ao segundo volume (1815). "Quem acredita que os materiais tradicionais são facilmente falsificáveis e preservados com negligência, não podendo, portanto, sobreviver por um longo período, deveria ouvir como [Katherina Viehmann] sempre se mantém fiel a sua história e o cuidado que ela mostra com a sua precisão." Citado em *Grimm, op. cit.*, p. 833.

4. Campbell, Joseph, em *Grimm, op. cit.* "The picture language of the soul", p. 864.

5. *The Gold-Children*, em *Grimm, op. cit.* Tale #85, pp. 388-93.

6. *The Brothers*. Em *Grimm, op. cit.* Tale #60, pp. 290-311.

7. Max Luthi, *Once Upon a Time: On the Nature of Fairy Tales*, trad. por L. Chadeayne E P. Gottwald (Bloomington: Indiana Univ. Press, 1970), pp. 47-58.

8. *Donkey Cabbages*, em *Grimm, op. cit.* Tale#122, pp. 551-57.

9. *Casablanca*, 1942, dirigido por Michael Curtiz.

Bibliografia

A Course in Miracles. Nenhum autor referido. The Foundation for Inner Peace. Londres: Penguin, 1996.

AUSTEN, Jane. *Emma.* Londres: Dent., 1961.

_____*Pride and Prejudice.* Nova York: Dover, 1995.

BAKER, Russell. *Growing Up.* Nova York: Signet, 1992.

Beowulf: A New Verse Translation. Seamus Heaney. Nova York: Norton, 2001.

BEUCHNER, Frederick. *Now and Then.* HarperSanFrancisco, 1985.

BLOOM, Harold. *The Western Canon.* Florida: Harcourt Brace, 1994.

BOLEN, Jean Shinoda. *Goddesses in Everywoman.* Nova York: Harper and Row, 1985.

BRADSHAW, John. *John Bradshaw on the Family: A New Way of Creating Solid Self Esteem.* HCI, revisado em 1990.

BROKAW, Tom. *The Greatest Generation.* Nova York: Random House, 1998.

CHAUCER, Geoffrey. *The Complete Works.* Organizado por F. N. Robinson. Oxford: Oxford University Press, 1955.

CRANE, Stephen. *The Red Badge of Courage.* (1895) várias vezes reeditado.

CLINTON, William. *Giving: How Each of Us Can Change the World.* Nova York: Knopf, 2007.

DASS, Ram. *Be Here Now.* Novo México: Lama Foundation, 1971.

DUNBAR, William. *Dunbar, Selected Poems.* Organizado por Harriet Harvey-Wood. Londres: Routledge/Fyfield, 2003.

ELIOT, George. *Daniel Deronda* (1876). Londres: Penguin Classics Edition, 1996.

_____*Middlemarch* (1872). Nova York: Signet Classics Edition, 2003.

FIELDING, Helen. *Bridget Jones' Diary.* Londres: Picador, 1998.

GOLDWATER, Robert. *Gauguin.* Nova York: Abrams, 1983.

GRAY, John. *Men Are from Mars, Women Are from Venus.* Nova York: Harper-Collins, 1993.

GRIMM, Jacob e Wilhelm. *The Complete Grimm's Fairy Tales.* Trad. por Margaret Hunt, revisado por James Stern. Nova York: Random House, 1972.

HENRYSON, Robert. *Henryson's Poems.* Org. por Charles Elliot. Oxford: OUP, 1963.

HORNBY, Nick. *About a Boy.* Londres: Penguin, 1998.

JUNG, Carl Gustav. *Man and His Symbols.* Nova York: Doubleday, reeditado em 1969.

KIPLING, Rudyard. *Barrack Room Ballads* (1898). Reeditado em Nova York: Dodo Press, 2005.

KUNDERA, Milan. *The Book of Laughter and Forgetting.* Trad. por Aaron Asher. Nova York: Harper Perennial, 1999.

LOVELACE, Richard. *Poems.* Reeditado várias vezes.

MALORY, Thomas. *Le Morte D'Arthur.* Trad. por R. M. Lumianky. Nova York: Scribners, 1982.

MORAG, Hali. *The Complete Guide to Tarot Reading.* Had Hadsharon: Astrolog, 1998.

OVÍDIO. *Metamorphoses.* Trad. por Rolfe Humphries. Bloomington: Indiana Univ. Press, 1983.

RUIZ, Miguel e MILLS, Janet. *The Voice of Knowledge: A Practical Guide to Inner Peace.* Boston: Amber-Allen Publishers, 2004.

SANCHEZ, Sonia. *Just Don't Never Give up on Love. Callalloo.* Maryland: Johns Hopkins University Press, 1984, nº 20, pp. 83-5.

SCHACHTER, Daniel. *The Seven Sins of Memory.* Boston: Houghton Mifflin, 2002.

SHAKESPEARE, William. *The Complete Works.* Org. por Peter Alexander. Londres: Collins, 1970.

Sophocles. The Complete Greek Tragedies. Org. por David Grene and Richard Lattimore. Chicago: Chicago University Press, 1991.

Tao Te Ching. Trad. por Steven Mitchell. Nova York: HarperPerennial, 1988.

The Letters of Abelard and Heloise. Trad. por Peter Abelard. Londres: Penguin, 1998.

TOLLE, Eckhart. *The Power of Now, a Guide to Spiritual Enlightenment.* Novato, CA: New World Library, 1999.

_____ *A New Earth: Awakening Your Life's Purpose.* Nova York: Plume, Penguin, 2005.

WATLINGTON, Dennis. *Chasing America: Notes from a Rock'n'Soul Integrationist.* Nova York: Thomas Dunne Books, 2004.